Six contes moraux

En couverture, Jean-Claude Brialy et Laurence de Monaghan dans *Le Genou de Claire*.
Production Les Films du Losange ; photographe de plateau : Bernard Prim ; © D.R.

Conception graphique : Atalante.

© 1998 *Cahiers du cinéma*
Première édition : Editions de l'Herne, 1974.
ISBN : 2-86642-211-2
ISSN : 1275-2517

Six contes moraux
Eric Rohmer

Petite bibliothèque
des Cahiers du cinéma

Avant-propos

*Pourquoi filmer une histoire, quand on peut l'écrire? Pourquoi
l'écrire, quand on va la filmer? Cette double question n'est
oiseuse qu'en apparence. Elle s'est posée très précisément à moi.
L'idée de ces Contes m'est venue à un âge où je ne savais pas
encore si je serais cinéaste. Si j'en ai fait des films, c'est parce
que je n'ai pas réussi à les écrire. Et si, d'une certaine façon,
il est vrai que je les ai écrits – sous la forme même où on va
les lire – c'est uniquement pour pouvoir les filmer.*

*Ces textes, donc, ne sont pas « tirés » de mes films. Ils les pré-
cèdent dans le temps, mais j'ai voulu d'emblée qu'ils fussent
autre chose que des « scénarios » : c'est ainsi que toute référence
à une mise en scène cinématographique en est absente. Ils ont
eu, dès le premier jet, une apparence résolument littéraire. Eux-
mêmes et ce qu'ils véhiculaient – personnages, situations, paroles
– avaient besoin d'affirmer leur antériorité à la mise en scène,
bien qu'elle seule possédât la vertu de les faire être pleinement.
Car on ne tire jamais un film du néant. Filmer est toujours
filmer quelque chose, fiction ou réalité, et plus celle-ci est bran-*

lante, plus celle-là doit affermir ses assises. Or, quoique séduit par les méthodes du « cinéma-vérité », je ne me dissimulais pas tout ce que les formes, par exemple, du psychodrame ou du journal intime avaient de réfractaire à mon propos. Ces Contes, comme le terme l'indique, devaient tenir debout par le seul poids de leur fiction, même s'il arrive à celle-ci d'emprunter, voire de dérober, à la réalité quelques-uns de ses éléments.

L'ambition du cinéaste moderne, et qui fut aussi la mienne, est d'être l'auteur à part entière de son œuvre, en assumant la tâche traditionnellement dévolue au scénariste. Mais cette toute-puissance, au lieu d'être un avantage et un stimulant, est ressentie parfois comme une gêne. Etre le maître absolu de son sujet, pouvoir y retrancher et y ajouter selon l'inspiration ou les nécessités du moment, sans avoir de comptes à rendre à personne, cela vous grise, mais cela vous paralyse aussi : cette facilité est un piège. Il importe que votre propre texte vous soit à vous-même tabou, sinon vous pataugez, et les comédiens à votre suite. Ou bien alors, si l'on choisit d'improviser dialogues et situations, il faudra qu'au moment du « montage » la distance de nouveau se creuse et qu'à la tyrannie de la chose écrite se substitue celle de la chose filmée : et sans doute est-il plus facile de composer des images en fonction d'une histoire qu'inventer une histoire à partir d'images tournées au bonheur de l'instant.

Curieusement, c'est cette dernière démarche qui me séduisit au début. Je m'imaginais, dans ces films où la part du texte est primordiale, qu'en rédigeant celui-ci d'avance j'allais me priver, pour la durée du tournage, du plaisir de l'invention. Que ce texte fût de moi-même ou d'un autre, je répugnais à n'être que son servant et, en ce cas, j'eusse encore préféré me dévouer à une cause étrangère plutôt qu'à la mienne propre. Mais, peu à peu, je me rendis compte que cette confiance en les hasards qu'une telle méthode requérait ne cadrait pas avec le côté très prémédité, très strict, de mon entreprise, et qu'il eût fallu un miracle, auquel on me pardonnera de n'avoir pas cru, pour que tous les éléments de la combinaison s'emboîtassent les uns dans les autres avec la précision exigée : sans compter que la maigreur de mes moyens financiers m'imposait l'économie de tout tâtonnement. S'il est vrai que les interprètes ont pu en certains cas – notamment dans le quatrième et le cinquième Conte * – participer à la rédaction du dialogue, ils apprirent par cœur un texte définitif, comme s'il s'agissait de la prose d'un autre, oubliant presque qu'il émanait d'eux.

Les passages de pure improvisation sont rares. Ils n'affectent que la forme cinématographique du récit ; ils ne ressortissent pas proprement au texte, mais à la mise en scène, et, à ce titre, n'ont pas place ici. Telles sont, par exemple, les paroles que le seul souci de naturel a placées dans la bouche des acteurs – les « bonjour ! », « au revoir ! », « comment vas-tu ? » – à moins que ces mêmes « bonjour ! », « au revoir ! » ne fassent, comme dans la Boulangère, partie de la forme non pas du film, mais du conte. Telles sont aussi les phrases informatives qui trouvent sur le papier une expression indirecte, et directe à l'écran. Telles enfin même quelques improvisations proprement dites dont le pittoresque, détaché de son contexte filmique, eût détonné : les propos de table des ingénieurs dans Maud, les confidences de Vincent dans Claire.

Outre ces omissions, on pourra, de-ci, de-là, relever des différences entre le dialogue écrit et ce que les acteurs ont dit effectivement. C'est que, usant de mes stricts droits, j'ai tout simplement corrigé les fautes occasionnelles, lapsus, défauts de mémoire. Le respect que je voulais qu'on portât au texte était une exigence de principe plus que de fait. Il fallait surtout qu'on ne lui sacrifiât rien de la vérité du jeu, et je m'estimais amplement satisfait si mes comédiens, déjà serrés dans trop de car-

---

* A savoir, tous les acteurs de la *Collectionneuse*, Aurora Cornu et Béatrice Romand dans *Claire*, ainsi que *passim* Antoine Vitez dans *Maud*. Ils se trouvent donc être, d'une certaine manière, coauteurs de ce livre.

cans, pouvaient, au prix de ces erreurs vénielles, respirer plus à leur aise.

Il est une autre raison qui me forçait à donner aux Contes une allure d'emblée littéraire. La littérature ici – et c'est ma principale excuse – fait partie moins de la forme que du contenu. Mon intention n'était pas de filmer des événements bruts, mais le récit que quelqu'un faisait d'eux. L'histoire, le choix des faits, leur organisation, la façon de les appréhender se trouvaient être « du côté » du sujet même, non du traitement que je pouvais faire subir à celui-ci. Une des raisons pour lesquelles ces Contes se disent « moraux » c'est qu'ils sont quasiment dénués d'actions physiques : tout se passe dans la tête du narrateur. Racontée par quelqu'un d'autre, l'histoire eût été différente, ou n'eût pas été du tout. Mes héros, un peu comme Don Quichotte, se prennent pour des personnages de roman, mais peut-être n'y a-t-il pas de roman. La présence du commentaire à la première personne est due moins à la nécessité de révéler des pensées intimes, impossibles à traduire par l'image ou le dialogue, qu'à situer sans équivoque le point de vue du protagoniste, et faire de ce point de vue même l'objet de ma propre visée d'auteur et de cinéaste.

C'est effectivement sous la forme d'un récit à peine dialogué que je rédigeai mes premières esquisses, et j'eus un moment l'intention de faire courir dans le film un commentaire continu, de la première à la dernière image. Peu à peu, passa dans la bouche des personnages ce qui était destiné à la voix hors-champ. Celle-ci, dans Le Genou de Claire, disparaît même totalement : sa substance est prise en charge par les différents récits que comporte le dialogue. Au lieu d'être commenté pendant qu'il se déroule, l'événement ne l'est qu'après coup par Jérôme, narrateur en titre, devant Aurora, narratrice de fait. Dans Maud, le film, le monologue intérieur s'est vu réduit à deux phrases, mais, pour la commodité de la lecture, il sera rétabli ici-même, tel qu'il se présentait dans le scénario. Ce n'est pas qu'il révèle quoi que ce soit de plus du personnage que nous n'ayons vu

10

sur l'écran : il introduit un liant dont l'image n'avait plus besoin, mais qui, sur la page imprimée, semble à nouveau nécessaire.

Qu'il me soit permis, pour conclure, d'élargir un instant le débat. L'angoisse de mes six personnages en quête d'histoire figure celle même de l'auteur devant sa propre impuissance créatrice, que le procédé quasi mécanique d'invention ici utilisé – la variation sur un thème – ne masque que très imparfaitement. Elle figure peut-être aussi celle du cinéma tout entier, qui s'est révélé, au cours des âges, comme un effrayant dévoreur de sujets, pillant le répertoire du théâtre, du roman, de la chronique, sans rien pouvoir offrir en échange. En regard de cet immense butin, ce qu'il a sorti de son fonds est peu de chose, en quantité comme en qualité. Pour peu que l'on creuse, on s'aperçoit qu'il n'existe pas de scénarios originaux : ceux qui se disent tels démarquent de plus ou moins près quelque œuvre dramatique ou romanesque, à laquelle ils empruntent le plus clair de ses situations et de sa problématique. Il n'y a pas de littérature de cinéma, comme il en est une de théâtre, rien qui ressemble à une œuvre, une « pièce », capable d'inspirer et de braver mille mises en scène possibles, de les mobiliser à son service. Dans le film, le rapport de puissance est inversé : la mise en scène est reine, le texte serviteur. Un texte de cinéma, en lui-même ne vaut rien, et le mien ne fait pas exception à la règle. De l'écriture, il n'a que le faux-semblant, ou, si l'on préfère, la nostalgie. Il se propose comme modèle une rhétorique de la narration vieille de plus d'un siècle, et s'en tient complaisamment là, comme si, de la chose littéraire, il préférait le fantasme à la pratique. C'est seulement sur l'écran que la forme de ces récits accède à sa plénitude, ne serait-ce que parce qu'elle s'enrichit d'un point de vue nouveau, qui est celui de la caméra et ne coïncide plus avec celui du narrateur. Ici, manque une perspective, qu'un travail d'écriture, certes, aurait pu donner – par une description plus ou moins colorée, plus ou moins imagée, plus ou moins lyrique des personnages, des actions, des décors. Ce travail, je n'ai pas voulu

11

le faire : plus exactement, je ne l'ai pas pu. Si je l'avais pu et qu'il eût abouti, je m'en serais tenu à cette forme achevée et n'eusse éprouvé aucune envie de filmer mes Contes. Car, comme je disais en commençant, pourquoi être cinéaste, si l'on peut être romancier ?

I

La Boulangère de Monceau

Paris, le carrefour Villiers. A l'est, le boulevard des Batignolles avec, en fond, la masse du Sacré-Cœur de Montmartre. Au nord, la rue de Lévis et son marché, le café « Le Dôme » faisant angle avec l'avenue de Villiers, puis, sur le trottoir opposé, la bouche de métro Villiers, s'ouvrant au pied d'une horloge, sous les arbres du terreplein, aujourd'hui rasé.

A l'ouest, le boulevard de Courcelles. Il conduit au parc Monceau en bordure duquel l'ancien Cité-Club, un foyer d'étudiants, occupait un hôtel Napoléon III démoli en 1960. C'est là que j'allais dîner tous les soirs, quand je préparais mon droit, car j'habitais non loin, rue de Rome. A la même heure, Sylvie, qui travaillait dans une galerie de peinture de la rue de Monceau, rentrait chez elle en traversant le parc.

Je ne la connaissais encore que de vue. Nous nous croisions parfois sur les trois cents mètres de boulevard qui séparent le carrefour du foyer. Nous avions

15

échangé quelques regards furtifs, et nous en restions là.

Schmidt, mon camarade, me poussait à la hardiesse :

– Malheureusement, elle est un peu trop grande pour moi, mais toi, tente ta chance.

– Comment? Je ne vais pas l'aborder!

– Pourquoi? On ne sait jamais!...

Oui, elle n'était pas fille à se laisser aborder comme ça dans la rue. Et accoster « comme ça » c'était encore moins mon genre. Pourtant, je la supposais prête à faire, en ma faveur, exception à sa règle, comme moi je l'eusse faite à la mienne, mais je ne voulais pour rien au monde gâter mes chances par quelque manœuvre prématurée. J'optai pour l'extrême discrétion, évitant même parfois son regard, et laissant à Schmidt le soin de la scruter.

– Elle a regardé?

– Oui.

– Longtemps?

– Assez. Nettement plus que d'habitude.

– Ecoute, dis-je, j'ai envie de la suivre, pour savoir au moins où elle habite.

– Accoste franchement, mais ne suis pas. Sinon, tu te grilles.

– Accoster!

Je m'apercevais à quel point je tenais à elle. Nous étions en mai et la fin de l'année scolaire approchait. Nul doute qu'elle n'habitât dans le quartier. Nous l'avions aperçue un panier à la main, faisant des courses : c'était devant la terrasse du Dôme où nous prenions le café après dîner. Il n'était que huit heures moins le quart et les boutiques n'avaient pas encore fermé.

– Au fond, dis-je, quand elle eut tourné au coin de l'avenue, elle habite peut-être par ici.

– Attends, dit Schmidt, je vais jeter un coup d'œil.

Il revint au bout de quelques instants :

– Elle est entrée dans un magasin. Je ne sais dans quel sens elle sortira, c'est trop risqué.

Un peu plus tard, nous la revîmes passer, « regardant un peu trop droit devant elle », commenta Schmidt, « pour ne pas être impressionnée par nous ».

– Je m'en fous, je la suis ! dis-je en me levant.

J'oubliai toute prudence, et m'engageai presque sur ses talons dans la rue de Lévis. Mais je dus vite battre en retraite car, zigzaguant d'un éventaire à l'autre, elle menaçait à tout moment de me capter dans son champ de vision. Je repris ma place et nous ne la revîmes plus de la soirée, mais, même si j'avais réussi à la suivre jusqu'à sa porte, aurais-je été plus avancé ? Schmidt avait raison : cette petite guerre d'escarmouches ne pouvait se prolonger indéfiniment. J'allais me décider à tenter le tout pour le tout, c'est-à-dire l'aborder carrément en plein milieu du boulevard, quand la chance, enfin, me sourit.

Il était sept heures à l'horloge du carrefour, nous allions dîner. Je m'étais arrêté pour acheter le journal. Schmidt, sans m'attendre, avait continué jusqu'au trottoir opposé, d'où il me regardait venir, courant tête baissée. Au moment de m'engager sur le passage clouté, je le vois me faire des signes véhéments que je ne comprends pas tout d'abord. Je crois qu'il me désigne la chaussée et l'imminence d'un danger quelconque. En fait, c'est le trottoir, derrière moi, à droite, qui est visé. Je tourne la tête, mais le soleil, bas sur l'horizon, m'éblouit. Je recule un peu pour mieux voir : je heurte alors, ou presque, de plein fouet, l'objet désigné par Schmidt et qui n'est autre que Sylvie remontant le boulevard de son pas alerte. Je me confonds en excuses :

– Oh, pardon !

– Il n'y a pas de mal !

– Vraiment?

– Nous ne nous sommes même pas cognés!

– Heureusement… Je ne sais pas ce que j'ai aujourd'hui : tout à l'heure j'ai failli me casser la figure sur ces trucs-là, dis-je en désignant des gravats posés le long du trottoir.

Elle éclate de rire :

– J'aurais voulu voir ça!

– Je dis : j'ai failli.

– Comment?

Le bruit de la circulation est si fort à cette heure que nous avons peine à nous comprendre. Je crie presque :

– J'ai failli : il n'y a pas de mal… Oh! ces voitures! On n'entend rien!

Toute conversation est manifestement impossible. Sylvie me quitte et je n'ose la retenir.

– Je vais par là, dit-elle.

– Et moi par là, dis-je.

Et j'ajoute très vite :

– Je vous dois un dédommagement. Voulez-vous prendre le café avec nous, dans une heure?

Car je doute qu'elle accepte une invitation pour l'immédiat.

– Je suis prise ce soir. Une autre fois : nous nous croisons souvent! Au revoir, Monsieur!

– Au revoir, Mademoiselle!

Et, sans même la regarder s'éloigner, triomphant, je cours rejoindre Schmidt.

Pendant la brève minute que dura notre conversation, je n'avais eu qu'une seule pensée : la retenir à tout prix, dire n'importe quoi, sans songer à l'impression que je pouvais lui faire et qui ne pouvait pas être très bonne. Mais ma victoire était indiscutable. J'avais mis, il faut le dire, dans la bousculade un tout petit peu du mien. Elle n'avait pas eu l'air de s'en offusquer, et s'était empressée, bien au contraire, de saisir la balle au bond. Son refus ne me tracassait guère, puisqu'elle m'autorisait à lui adresser la parole lors d'une prochaine rencontre qui ne saurait tarder : quoi de mieux ?

Or il arriva la chose à quoi je m'attendais le moins. Ma chance inespérée fut suivie d'une malchance tout aussi extraordinaire. Trois jours, huit jours passèrent, je ne la croisai plus. Schmidt, pour mieux préparer son écrit, était retourné dans sa famille. Tout amoureux que j'étais déjà, l'idée de distraire la moindre parcelle de mes heures d'étude à la recherche de Sylvie ne me venait même pas à l'esprit. Mon seul moment libre était le repas. Je me passai donc de dîner.

Ce dîner durant trente minutes, et mon aller-et-retour trois, mes chances de croiser Sylvie seraient ainsi multipliées par dix. Mais le boulevard ne m'apparaissait pas comme le meilleur poste d'observation. En effet, elle pouvait fort bien passer par ailleurs et même – je ne savais pas d'où elle venait – prendre le métro, ou le bus. En revanche, il était impossible qu'elle eût cessé d'aller faire son marché. C'est pourquoi je décidai d'étendre le champ de mes investigations à la rue de Lévis.

Et puis, il faut bien le dire, le guet sur le boulevard, en ces fins d'après-midi chaudes, était monotone et fatigant. Le marché offrait la variété, la fraîcheur et l'irrésistible argument alimentaire. Mon estomac me tiraillait et, lassé des réfectoires, il réclamait précisément, avant-goût des vacances, cet intermède gastronomique que le temps des cerises était propre à lui octroyer. Les odeurs maraîchères de la rue et son brouhaha m'étaient à coup sûr, après tant d'heures de Dalloz et de « polycopiés », meilleure récréation que le tintamarre du foyer et ses effluves de popote.

Toutefois, ma recherche restait vaine. Des milliers de

personnes habitaient le quartier. C'est peut-être même l'un de ceux, dans Paris, où la population est la plus dense. Fallait-il rester en place ? Fallait-il tourner en rond ? J'étais jeune et l'espoir un peu niais peut-être m'habitait de voir Sylvie soudain surgir à sa fenêtre, ou sortir tout à coup d'un magasin et se trouver, comme l'autre jour, nez à nez avec moi. J'optai donc pour la marche et la flânerie.

C'est ainsi que j'avais découvert, au coin de la rue Lebouteux, une petite boulangerie où je pris l'habitude d'acheter les gâteaux qui constituaient la partie la plus substantielle de mon repas. Deux femmes la tenaient : la patronne occupée presque toujours, à cette heure, dans sa cuisine, et une brunette assez jolie, œil vif, lèvres charnues, visage avenant. Les premiers jours, si je me souviens bien, je la trouvais souvent aux prises avec des voyous du quartier, venus lui débiter leurs âneries. Elle mettait du temps à me servir, tant ils étaient collants. J'avais tout loisir de faire mon choix, mais je n'achetais guère que des sablés. Ces sablés n'étaient ni meilleurs ni moins bons que dans une autre boulangerie. Ils sont fabriqués en usine, et on les trouve partout. Mais, d'une part, la rue déserte, par laquelle j'achevais mon périple, m'offrait l'avantage de manger tout à mon aise sans être vu de Sylvie qui, dans la foule du marché, pouvait au contraire surgir à l'improviste, d'autre part, l'achat de mon gâteau avait fini par sacrifier à une sorte de cérémonial mis au point par moi et la petite boulangère.

Ce fut elle, à vrai dire, qui commença. Pour agacer son petit copain, elle s'était mise, au plus fort de leur querelle, à feindre entre elle et moi comme un accord tacite, par force clins d'œil et sourires en coin auxquels j'opposais un visage de marbre. Je n'avais pris qu'un sablé, et je mis à le manger le temps du parcours qui me ramena au marché. Là, j'eus envie d'un autre, et retournai sur mes pas. Le sourire que la boulangère, maintenant seule, m'adressa comme à une personne connue renforça ma froideur. A mon âge, on ne hait rien tant que faire les courses. J'évite soigneusement toute familiarité avec les vendeurs. J'aime à entrer toujours dans un magasin avec le ton et l'allure de celui qui y pénètre pour la première fois.

— Je voudrais un sablé, dis-je de ma voix la plus neutre.

Surprise et comme pour s'assurer de mon identité, elle me jeta un regard un peu appuyé qui me fit honte. Je n'osai poursuivre la comédie et lui demander « combien ? » du même air ingénu.

— Quarante francs ? fis-je, sans trop peser sur l'interrogation.

— Oui, répondit-elle du tac au tac, devinant déjà ma manie et décidée à jouer le jeu.

Et toujours pas de Sylvie à l'horizon. Me fuyait-elle ? Pourquoi, grands dieux ? Etait-elle à la campagne, malade, morte, mariée ? Toutes les hypothèses étaient permises. A la fin de la semaine, mon guet quotidien était devenu simple formalité. J'avais hâte de retrouver ma boulangerie, soignant chaque jour un peu mieux mon entrée, mes lenteurs, mes bizarreries.

Le masque d'obséquiosité et d'indifférence commerciale arboré par ma vendeuse ne lui servait, je le voyais bien, qu'à mieux relancer le jeu, et ses entorses à la règle n'étaient pas des oublis ou des impatiences, mais bien des provocations. Si jamais elle se hasardait à prévenir mes demandes par le moindre petit geste ou regard vers le gâteau sur lequel j'avais jeté mon dévolu, je feignais de changer d'avis, quitte à retomber sur mon premier choix.

— Deux sablés ?

— Non... Euh !... Oui, un sablé... Euh !... Et puis un autre, oui, donnez-m'en deux !

Docile, elle s'exécutait sans trace d'impatience, heureuse de trouver un prétexte à me faire rester plus longtemps dans la boutique peu fréquentée à cette heure tardive. Et ses battements de cils, ses pincements de lèvres, ses maladresses de toutes sortes trahissaient un émoi de moins en moins innocent. Je n'avais pas mis longtemps à m'apercevoir que je ne déplaisais pas à la jolie boulangère, mais, fatuité si l'on veut, le fait que je plaise à une fille me paraissait aller de soi. Et comme, d'autre part, elle n'entrait pas dans mes catégories – c'était le moins qu'on puisse dire – et que Sylvie seule occupait ma pensée... Oui, c'est précisément parce que je pensais à Sylvie que j'acceptais les avances – car c'en étaient – de la boulangère, de bien meilleure humeur que si je n'avais pas été amoureux d'une autre fille.

Cependant la comédie, entraînée sur sa propre pente, sortait de la réserve où elle s'était cantonnée les premiers jours, et menaçait de tourner au burlesque. Sûr de ses sentiments à mon égard, je m'amusais à éprouver la docilité de ma vendeuse à mes moindres caprices, arrêtant ses mouvements en plein élan, la surprenant par ma sobriété, ou, tantôt, ma voracité. Il m'arriva de commander jusqu'à dix gâteaux à la fois, incertain de pouvoir les avaler. J'y parvins toutefois, mais y mis un bon quart d'heure, debout dans la rue, à quelques pas de la boutique, sans la moindre peur, maintenant, d'être vu.

Je m'engageais ainsi chaque jour de plus en plus, tout en pensant que cela ne pouvait me mener très loin. Et puis, c'était une façon comme une autre non seulement d'occuper mon temps, mais de me venger de Sylvie et de son absence. Toutefois cette vengeance me paraissait assez indigne de moi, et c'est contre la boulangère elle-même que je finissais par tourner mon irritation. Ce qui me choquait, ce n'était pas que je puisse lui plaire, moi, mais qu'elle ait pu penser qu'elle pouvait me plaire, elle, de quelque façon. Et pour me justifier à mes propres yeux, je ne cessais de me répéter que c'était sa faute à elle et qu'il fallait la punir de s'être frottée au loup.

Vint donc le moment où je passai à l'attaque. La boutique était déserte. On allait fermer dans quelques minutes, la patronne surveillait le rôti. Je mangeais mes gâteaux sur place : l'idée me prit d'en offrir un à la boulangère. Elle se fit un peu prier et choisit une part de tarte qu'elle engloutit très voracement. Je la taquinai :

– Je croyais qu'à voir des gâteaux toute la journée, on finissait par s'en dégoûter.

– Vous savez, dit-elle, la bouche pleine, il y a un mois seulement que je suis ici. Et je ne reste pas longtemps. En septembre, j'aurai une place aux Galeries Lafayette.

– Vous êtes ici toute la journée ?

– Oui.

– Et le soir, qu'est-ce que vous faites ?

Elle ne répond pas. Elle est appuyée en arrière contre le comptoir et baisse les yeux. J'insiste :

– Vous voulez sortir, un soir, avec moi ?

Elle fait deux pas en avant jusqu'à la porte, dans la lumière frisante. Son décolleté carré met en valeur la ligne de sa nuque et de ses épaules. Après un silence, elle tourne un peu la tête :

– Vous savez, j'ai juste dix-huit ans !

Je m'avance vers elle et touche du doigt son dos nu :

– Et alors, vos parents ne vous laissent pas sortir ?

L'arrivée de la patronne lui permet d'esquiver la réponse. Vivement, elle retourne à son comptoir.

Mes examens se terminaient. J'allais partir en vacances. Je croyais Sylvie à tout jamais perdue. Seule, la force de l'habitude me faisait poursuivre tous les soirs ma tournée d'inspection – et peut-être aussi l'espoir d'obtenir de la boulangère la promesse d'un rendez-vous, maigre consolation à mes déboires. L'avant-veille de mon départ, je la croisai dans la rue, portant un cageot de pain. Je m'arrêtai :

– Vous voulez que je vous aide ?

– Vous pensez ?

– Je vous gêne ? Vous avez peur qu'on nous voie ?

– Oh non ! De toute façon, je pars dans un mois.

Elle a un petit sourire qu'elle voudrait provocant. Pour dissiper l'embarras, je l'invite à reprendre sa marche :

– Ça vous gêne que je vous accompagne un bout de chemin ?

– Enfin…

J'avise heureusement une porte cochère :

– Ecoutez, mettons-nous là, j'ai un mot à vous dire.

Elle me suit, docilement, jusqu'à une cour intérieure. Elle a posé son cageot à terre et s'est adossée au mur. Elle lève vers moi ses yeux interrogateurs et graves.

– Je vous fais du tort ? dis-je.

– Non, je vous ai dit, c'est pas ça.

Je la regarde bien en face. J'appuie ma main à la muraille, à la hauteur de ses épaules :

– Sortons ensemble un soir. Demain ?

– Laissez-moi, il vaut mieux.

– Pourquoi ?

– J'sais pas. J'vous connais pas !

– Nous ferons connaissance. J'ai l'air si méchant ?

Elle sourit :

– Non !

Je lui prends la main et joue avec ses doigts :

– Ça ne vous engage à rien. Nous irons au cinéma. Sur les Champs-Elysées. Vous allez bien au ciné ?

– Oui, le samedi.

– Sortons samedi…

– J'y vais avec des copains.

– Des garçons?

– Des garçons, des filles. Ils sont bêtes!

– Raison de plus. Samedi alors?

– Non, pas samedi.

– Un autre jour? Vos parents vous bouclent?

– Oh non! J'espère bien que non.

– Eh bien! Demain, alors! Nous dînerons dans un bon petit restaurant, puis nous irons aux Champs-Elysées. Je vous attends à huit heures au café du carrefour, Le Dôme, vous voyez?

– Il faudra que je m'habille?

Je glisse ma main sous la bretelle de sa robe et, du bout des doigts, caresse son épaule. Elle se laisse faire, mais je sens qu'elle tremble.

– Mais non… Vous êtes très bien comme ça. D'accord?

– Je ne sais pas si ma mère…

– Mais vous avez dit que…

– Oui, en principe, mais…

– Dites que vous sortez avec une amie.

– J'sais bien… Enfin, peut-être.

D'un mouvement d'épaule, elle me force à retirer ma main. Sa voix est rauque. La mienne n'est pas très assurée non plus. J'essaie de plaisanter:

– Ecoutez: vous êtes romanesque?

– Comment?

Je détache les syllabes:

– Ro-ma-nesque. Je passe demain vers sept heures et demie. Au cas où on ne pourrait pas se parler dans la boulangerie, voilà ce qu'on va faire. Je demande un gâteau. Si vous m'en donnez deux, c'est d'accord. Dans ce cas, rendez-vous à huit heures au café. Compris?

– Ben, oui.

– Répétez. Il s'agit de ne pas se tromper.

– Si je vous donne deux gâteaux, c'est oui, dit-elle avec un sérieux consommé, sans le moindre sourire ou ce minimum de désinvolture qui m'eût mis à l'aise et donné meilleure conscience. Où m'étais-je fourré?

Le lendemain, un vendredi, je passai mon oral et je fus reçu. Je n'avais plus envie d'aller à mon rendez-vous, mais les camarades avec qui j'aurais pu sortir et fêter mon succès faisaient partie d'autres groupes d'examen, et la perspective d'une soirée solitaire m'était insupportable.

Quand j'arrivai rue Lebouteux, il était déjà huit heures moins le quart. Fidèle à notre convention, je demandai un sablé et je vis la boulangère m'en tendre un premier, puis un second, avec une pointe d'hésitation ironique qui, ma foi, plaida en sa faveur. Je sortis et repris le chemin du carrefour, tout en commençant d'entamer mes gâteaux. Mais à peine avais-je fait une dizaine de mètres que je sursautai. Oui, c'était Sylvie qui s'avançait sur le trottoir opposé et traversait la rue à ma rencontre. Elle portait un bandage à la cheville et s'appuyait sur une canne. J'eus le temps d'avaler ma bouchée et de dissimuler les sablés dans le creux de ma main.

– Bonjour! dit-elle, toute souriante.

– Bonjour! Comment allez-vous? Vous êtes blessée?

– Oh rien! Une entorse qui a traîné trois semaines.

– Je m'étonnais de ne pas vous avoir revue.

– Je vous ai aperçu hier, mais vous aviez l'air perdu dans vos pensées.

– Ah oui? Tiens!…

En un instant ma décision fut prise. Sylvie était là. Tout le reste disparaissait. Il fallait au plus vite quitter ce lieu maudit.

– Vous avez dîné ? dis-je.

– Non… Je n'ai même pas goûté.

Et elle fixait ostensiblement les sablés dans ma main.

– La chaleur me donne faim, dis-je platement.

– C'est votre droit !

Elle se mit à rire, mais qu'importaient ses sarcasmes ! Je n'avais qu'une idée : l'entraîner loin d'ici. Je repris :

– On dîne ensemble, vous voulez ?

– Pourquoi pas ? Mais il faut que je remonte chez moi. Voulez-vous m'attendre ? J'habite au premier, j'en ai pour une minute.

Et je la vis s'engouffrer dans la porte de l'immeuble d'angle, juste en face de la boulangerie.

Cette minute-là en dura quinze et j'eus tout loisir de méditer sur mon imprudence. Sans doute aurais-je pu convier Sylvie un autre jour et garder pour ce soir la boulangère. Mais mon choix fut, avant tout, *moral*. Sylvie retrouvée, poursuivre la boulangère était pis que du vice : un pur non-sens.

Pour compliquer la situation, la pluie s'était mise à tomber. C'est cela pourtant qui me sauva. Huit heures avaient déjà sonné, mais la boulangère devait attendre que l'averse eût cessé avant de sortir. Les dernières gouttes achevaient de tomber quand Sylvie apparut, un imperméable sur les épaules. Je lui proposai d'aller chercher un taxi.

– Avec la pluie, vous n'en trouverez pas, dit-elle. Je peux très bien marcher.

– Vraiment ?

– Oui.

Je me mis à son côté et me contraignis à suivre son rythme. La rue était déserte et la boulangère, si elle sortait, pourrait nous apercevoir. De toute façon, pensai-je lâchement, elle sera trop loin pour qu'il y ait un drame. Je n'osai me retourner et le trajet fut interminable. Nous aperçut-elle ou languit-elle au café à m'attendre ? Je n'en saurai jamais rien.

Quant à la conquête de Sylvie, c'était déjà chose faite. La raison m'en fut révélée le soir même.

– Dans mon immobilité forcée, j'avais des distractions, dit-elle en me fixant d'un air moqueur. Vous ne savez peut-être pas, ma fenêtre donne sur la rue : j'ai tout vu.

Je tremblai une seconde, mais elle enchaîna :

– Vous êtes odieux, vous avez failli me donner des remords. Je ne pouvais tout de même pas vous faire signe ! J'ai horreur des gens qui font les cent pas devant ma porte. Tant pis, si vous vous détraquez l'estomac avec vos sales petits sablés.

– Ils sont très bons.

– Je le sais. J'y ai goûté. En somme, je connais tous vos vices !

Nous nous sommes mariés six mois plus tard et, au début, nous avons habité quelque temps rue Lebouteux. Nous allons parfois acheter notre pain ensemble, mais ce n'est plus la même petite boulangère.

II

La Carrière de Suzanne

C'est au café « Le Luco », boulevard Saint-Michel, que nous avons fait la connaissance de Suzanne. J'habitais juste au-dessus, à l'hôtel de l'Observatoire. J'avais dix-huit ans et j'étais en première année de pharmacie.

Guillaume, de deux ans mon aîné, faisait Sciences-Po. Nous étions très amis, et pourtant nos caractères différaient au possible. Je le désapprouvais presque en tout, mais enviais sa désinvolture. Il ne pouvait pas voir une fille à sa portée sans tenter immédiatement sa chance. Tout lui était prétexte : un mot surpris au vol, une chaise empruntée, le titre d'un livre.

A la table voisine, Suzanne potassait son italien. Guillaume, sans façon, s'empare du bouquin, tandis qu'elle met ses lunettes. Il lit pompeusement, avec le pire accent français :

– I promessi sposi !

L'attaque ne semble pas la décontenancer. Elle éclate de rire.

– Vous avez l'air de bien connaître l'italien !

– Vous êtes à la Sorbonne ? dit-il, quittant son air canaille.

– Plus ou moins : je suis des cours, dans la soirée, à l'école d'interprétariat, rue de la Sorbonne. La journée, je travaille au Comité National de défense contre la Tuberculose, là-bas, en face.

– Ça vous plaît ?

– On ne fait pas toujours ce qui vous plaît !...

Passe Martine, une fille de Sciences-Po. Elle vient nous dire bonjour. Guillaume la présente à Suzanne qui bredouille son nom.

– Je n'ai pas très bien entendu, dit-il en se rasseyant. Vous vous appelez Anne ?

– Non, Suzanne, hélas !

– Pourquoi hélas ? Seriez-vous snob, par hasard ?

– Non, mais je n'aime pas mon nom.

– En tout cas, c'est plus joli que Suzon !

– Chameau !

– Je m'appelle Guillaume Peuch-Drummond.

– Et moi Suzanne Hocquetot.

– Avec un H ?

– Oui, et T, O, T, à la fin.

– Vous êtes normande ?

– Oui. Et vous ?

– Non, mais je m'intéresse à l'onomastique. Vous savez ce que c'est ?

– Euh ! La science des noms ?

– La science des noms de personne. Donnez-moi n'importe quel nom, je vous dirai sa région d'origine, son étymologie...

C'était un de ses trucs favoris, moins banal, à tout prendre, que l'horoscope ou les lignes de la main.

Je l'écoutais d'une oreille, tandis que je suivais de l'autre les préparations d'une partie qui devait avoir lieu le samedi suivant.

– Guillaume, crie Jean-Louis, tu viens chez Pfeiffer?

– Non, dit-il en se retournant. Je ne suis pas libre. Mais, samedi en quinze, je donne un dîner à la maison. Vous êtes invités.

Et s'adressant à Suzanne :

– Vous venez?

– Pourquoi pas. Où est-ce?

– A Bourg-la-Reine. Je viendrai vous prendre en voiture. Vous aimez la paella?

– Je ne sais pas si j'en ai jamais mangé!

– Je la réussis très bien, c'est la seule chose que je sais faire… Vous êtes chez vos parents?

– Non, chez des gens, à la porte de Clichy, mais je n'y suis pratiquement jamais. Je rentre de mes cours le soir à dix heures et je me lève à sept heures, le matin.

– Et le dimanche?

– Je travaille mon italien, mais de préférence dans un café, c'est plus agréable…

Avec Guillaume, les choses traînaient rarement. Néanmoins Suzanne résista ferme jusqu'au fameux soir annoncé. Je les vis arriver tous deux vers sept heures, tandis que j'achevais mon travail.

– Dépêche-toi, dit Guillaume, ma voiture est en stationnement interdit.

– Ecoute, je ne sais pas si je peux venir, j'ai mes T.P. en retard.

– J'aime les gens qui tiennent leurs promesses.

– Je n'ai rien promis.

– Si. Tu étais témoin, dit-il en se tournant vers Suzanne.

– Oui, oui, dit-elle.

– Allons viens! Je te ramènerai à minuit.

– Tu dis toujours ça !

– Je dois ramener Suzanne aussi fit-il d'un air digne.

– Bon, bon, d'accord, dis-je sans illusion sur la suite des événements et j'allai à la penderie. Suzanne s'était assise sur le lit et avait attiré Guillaume auprès d'elle. Ils s'embrassèrent copieusement pendant que je mettais ma cravate.

– Qui sera là ? dis-je, jugeant que leurs effusions avaient assez duré.

– Il y aura Jean-Louis, Catherine, François, Philippe… et ta petite amie.

– Qui ?

– Sophie.

– Tu es fou ! Je ne la connais même pas.

Je l'avais vue deux fois en tout et pour tout, en compagnie de Franck, un ami de Guillaume.

– Oui, mais tu en pinces pour elle.

– Oh ben ! Elle est pas mal !

– Si Bertrand dit qu'elle est pas mal, c'est qu'elle est vraiment terrible. Mais, Suzanne, tu la connais, elle était l'autre jour au bistrot : l'Irlandaise.

– Ah oui ! dit-elle, elle est ravissante cette fille. Bertrand, vous avez vraiment du goût.

La plus grande partie de l'année, Guillaume occupait seul la villa de Bourg-la-Reine, sa mère étant en voyage. Suzanne avait pris très au sérieux son rôle de maîtresse de maison. Mais Guillaume, dès la première minute, s'était emparé de Sophie et semblait bel et bien décidé à lui faire un siège en règle, chose d'autant plus facile que Franck, l'éternel cavalier, manifestait ce soir-là fort peu d'empressement.

Je restai philosophiquement dans mon coin, mais je sentais Suzanne au bord des larmes. Je m'attendais, à tout moment, à la voir prendre son manteau et courir à la gare, car je ne la croyais pas entièrement dénuée d'amour-propre. Sophie m'intimidait, et Guillaume, d'une certaine façon, en l'accaparant, me rendait service. Je me bornai à souhaiter qu'il en fît trop et fût remis à sa place. Mais il était prudent.

A onze heures, il me prit à part dans la cuisine.

– Ça marche avec Sophie, dit-il en me tapant sur l'épaule.

– C'est plutôt à moi de te poser la question !

– T'en fais pas, histoire d'emmerder l'autre. Elle fait pas trop la gueule ?

– Suzanne ? Ben, un peu. Y a de quoi !

– Tant mieux. Rien de pire que toutes ces filles qu'on croit faciles. C'est long, ça traîne, ça traîne... Enfin, j'ai l'impression que maintenant ça y est. Tu ne crois pas ?

– Si peut-être, dis-je sans conviction.

– Râle pas, quoi ! Sophie ne m'intéresse pas, elle est trop bêcheuse. Par contre, toi, tu as tes chances. Entre Franck et elle, j'ai l'impression que c'est fini.

– Oh ! Fais ce que tu veux. Je n'ai aucun droit sur elle.

– Je t'assure. Tu as la cote. Ça se voit quand un type intéresse une fille... Qu'est-ce que je voulais dire ? Ah oui ! Il faut absolument que tu me rendes un service. Quand les autres vont partir, tu diras que tu rentres avec moi. Je ne peux décemment rester seul avec elle. C'est une petite provinciale, elle tient à garder les apparences.

Vers minuit, tout le monde prit congé. Je refusai la place qu'on m'offrait dans une des voitures, celle précisément où serait Sophie, perdant ainsi une occasion de l'approcher. Mais le cherchais-je vraiment ? En dépit des allégations de Guillaume, je la croyais éprise de ce Franck, grand et très beau garçon, et n'escomptai pas réussir où mon camarade échouait.

Nous restâmes donc nous trois. Tout à la joie d'avoir

retrouvé les bras de Guillaume, Suzanne avait perdu la notion de l'heure. Tendrement, elle se blottissait contre son épaule, tandis qu'affalé sur le divan du salon il envoyait au plafond des ronds de fumée. Assis en face d'eux, j'avais peine à réprimer mes bâillements. Par désœuvrement, je tapotais la petite table basse placée devant mon fauteuil.

– Tu sais, dit Guillaume, Bertrand sait faire tourner les tables.

– Vraiment? dit Suzanne, intéressée.

– Oui. C'est un de mes rares talents de société. Rien de plus facile, surtout avec celle-ci. Venez tous deux et posez vos mains bien à plat, de façon que vos doigts se touchent. Il n'y a rien de magique. C'est notre influx nerveux qui agit.

Ils se levèrent, vinrent s'asseoir en face de moi, et mirent leurs mains comme je leur indiquais.

– Concentrons-nous bien, laissez-vous aller, déten-dez-vous!

Suzanne, au début, étouffa quelques rires, puis céda à la contagion du calme. Un silence imposant régna plusieurs minutes, et ce furent les premiers craquements. La table s'inclina, glissa vers la droite, puis vers la gauche. Suzanne sceptique essayait en vain de résister au mouvement.

– Bertrand tu pousses!

– Mais non, je ne pousse pas : c'est l'Esprit!

Elle haussa les épaules.

– En vérité, repris-je, ce sont nos impulsions involon-taires. L'Esprit c'est la résultante de notre triple incons-cient.

– Très savante explication.

– Trêve de commentaires, fit Guillaume. Reconcentrons-nous.

– Evoquons l'Esprit, dis-je, quand je sentis le bois cra-quer à nouveau. Esprit, es-tu là?

La table se souleva et retomba net.

– Un coup, c'est oui… Esprit, qui es-tu?

J'expliquai que les lettres étaient désignées par leur place dans l'alphabet : un coup pour A, deux pour B, etc. A la première réponse, quatre coups, D, j'anticipais déjà le résultat. Il est vrai que le mot était dans l'air, ou, plus exactement, sur la pochette du disque qui traînait à côté de l'électrophone. Et il flattait l'amour-propre de Guillaume non moins qu'il inspirait ma malice.

– D.O.N.J., dit-il, ravi, certainement DON JUAN. Et que dit Don Juan?

Ce fut alors à son tour d'y mettre du sien, bien que je ne pusse me dire tout à fait innocent, non plus d'ailleurs que Suzanne dont l'oracle désignait assez le vœu secret.

– A.U.L.I… mais c'est AU LIT! s'écria-t-il. Bertrand, tu es d'une grossièreté!

Je protestai en vain, pendant qu'il partait d'un rire gras et que Suzanne, au fond ravie, essayait de prendre un air choqué.

– Eh bien couchons-nous, conclut-il. Je me sens très fatigué, je n'ai même pas le courage de vous reconduire. Mais la maison est vaste, vous pouvez rester. Bertrand et moi, nous dormirons ici, et toi, Suzanne, tu iras dans la chambre de ma mère. Tu sais où elle est?

– Oui, oui, dit-elle, un peu désappointée.

Il l'accompagna jusqu'à la porte et l'embrassa sur les deux joues.

– Bonsoir. Tu ne m'en veux pas?

– Pourquoi t'en voudrais-je? Bonsoir Bertrand!

Elle s'éloigna dans le couloir.

– Ah, ces femmes! dit-il, en allumant une cigarette.

Il tira quelques bouffées, puis mit un terme à la comédie.

– Il faut que j'aille la consoler.

Il quitta la pièce. Je me couchai, sûr qu'il ne reviendrait pas.

Le lendemain, j'étais sur pied aux premières heures du jour. Il m'était déjà arrivé de passer un dimanche entier à Bourg-la-Reine, et Guillaume, même en telle circonstance, m'aurait certainement convié à rester, trop heureux de me compter comme spectateur de son triomphe. Mais mon rôle, à mon goût, n'avait que trop duré. Je sortis sans faire de bruit et descendis à la gare.

Ce n'est pas que la conduite de Suzanne m'importât le moins du monde – c'était son affaire, et ça ne regardait qu'elle seule – mais je discernais le malin plaisir que prenait Guillaume à m'associer toujours à ses mauvais coups, car il aimait, il faut le dire, à environner tout ce qu'il faisait, même de très anodin, d'une ambiance concentrée de crapulerie.

Huit jours plus tard, je le croisai sur le Boul'Mich'.

– Qu'est-ce que tu deviens, dis-je, on ne te voit plus ?

– J'ai des drames.

– Suzanne ?

– Elle me téléphone à longueur de journée. J'ai toujours le pot de tomber sur des filles collantes. Et toi, tu l'as revue ?

– Oui, une ou deux fois. On n'a pas dit grand-chose.

– Elle a parlé de moi ?

– Non, nous nous sommes croisés. Elle allait téléphoner.

– Hé, hé !

Mais le samedi suivant, je reçois de lui un coup de fil. Il me dit que, par faiblesse, il a renoué avec Suzanne : comme il s'ennuie vraiment trop avec elle, il me demande de lui tenir compagnie.

J'acceptai en rechignant et nous allâmes danser dans un club de la rive droite. Suzanne, toute pimpante, m'avait pris pour confident de sa joie retrouvée, rôle qui était loin de me plaire : ses gestes, ses rires, ses façons m'agaçaient au plus haut point. Je n'avais d'ailleurs contre elle aucun grief particulier. Je la détestais au même titre que toutes les filles que pouvait courtiser Guillaume. Il allait droit aux plus faciles et, à ma connaissance, n'en avait jamais approché une qui me parût à peu près digne de lui. Car j'avais, à cette époque-là, une très haute idée de ses dons de séducteur.

Il me raccompagna à mon hôtel, puis ils filèrent tous deux vers Bourg-la-Reine. A deux heures de l'après-midi, il me téléphonait de nouveau.

– Viens prendre le thé à la maison. Ce sera sympa. Je te raccompagne à sept heures. Tu ne vas pas me faire croire que tu as l'intention de rester enfermé tout ton dimanche !

Je trouvai une Suzanne radieuse et un Guillaume bon enfant qui se prélassait sur le divan dans une ample robe de chambre à col de fourrure. Mais, bientôt, les choses se gâtent. Comme Suzanne se penche au-dessus de lui, pour prendre un bouquin sur un rayon, il lui donne une forte tape sur le derrière. Elle réplique par une gifle qu'il évite de justesse. Il l'attrape par le bras, elle se dégage et va à la cheminée, mais lui, vautré dans ses coussins, ne bouge pas d'un pouce et rit bruyamment à mon adresse. Puis, il jette un regard en direction de Suzanne qui boude dans son coin.

– Suzanne !…

Il l'appelle à plusieurs reprises, mais elle ne répond pas et garde les yeux obstinément baissés.

– Suzanne !… Fais pas la tête. C'est pour plaisanter.

– Je n'aime pas les plaisanteries de mauvais goût.

– Si j'avais bon goût, tu ne me plairais pas.

– Si je te plais, c'est l'essentiel.

– Je suis en train d'en douter !

– Si je ne te plais pas, je plais à d'autres. Ils sont nombreux, tu sais.

– Oui, un tas de petits gars boutonneux !

– Pas du tout. Des gens aussi bien que toi. Même mieux !

Guillaume siffle entre ses dents et me regarde d'un air entendu.

– Elle est pas bête, cette fille ! Elle sait répondre !

Je n'ai pas la moindre envie d'arbitrer leur querelle. Je me lève de mon fauteuil et me dirige vers la porte.

– Une seconde, me crie-t-il, je voudrais te poser une question. Et toi, Suzanne, viens près de moi. Viens, quoi !

L'un et l'autre, nous nous exécutons de très mauvaise grâce.

– Tu sais, poursuit-il, Bertrand est l'ami le plus chic que j'ai jamais eu. Le voilà qui rougit. Suzanne, es-tu amoureuse de lui ?

– De Bertrand ? Non.

– Ben, c'est pas flatteur !

– Idiot !

– Supposons une chose : qu'il t'ait couru après.

– Il ne l'a pas fait !

– Oui, mais supposons-le. S'il t'avait relancée, suppliée.

– Ce n'est pas son genre !

– Qu'est-ce que tu en sais ? Il aurait très bien pu te faire la cour. Tu aurais cédé ?

– Non, je ne pense pas. Bertrand est un garçon très bien, mais j'ai mes idées toutes faites.

– Et toi, Bertrand, si Suzanne…

– Disons que j'ai mes idées toutes faites, dis-je en lançant à Suzanne un regard exempt d'aménité.

– C'est fou ce que vous êtes snobs tous les deux. Bertrand, lui, a des excuses, mais toi tu es la fille la plus prétentieuse que j'aie jamais rencontrée. Tu ne trouves pas, Bertrand, qu'elle est snob ?

– Ah non ! Pas du tout, au contraire.

– Evidemment, elle est cruche, mais l'un n'empêche pas l'autre.

40

Suzanne, dont la fureur croît, essaie de se lever, mais il la retient.

– Lâche-moi!

– Reste ici!

– Si c'est pour dire des âneries!

– Je dis ce que je pense. Bertrand réponds-moi : tu ne trouves pas qu'elle la ramène un peu?

– Non, pas du tout.

– Tu me l'as dit. Du moins tu le penses.

– Tu es fou!

Il a de plus en plus de mal à maintenir Suzanne qui se débat.

– Tu le penses, reprend-il.

– Non!

– Pourquoi?

– C'est évident!

– L'évidence n'a pas cours, crie-t-il avec une voix de procureur, le débat est clos, sentence exécutoire!

Suzanne a réussi à se mettre à genoux sur le divan. Il la tire si fort qu'elle tombe en avant sur lui. Il essaie de lui donner une fessée, elle se débat et crie :

– Aïe! Au secours! Bertrand! Bertrand!

Mais avant que j'aie pu intervenir, elle s'est dégagée toute seule et sort en claquant la porte.

– Tu es emmerdant! dis-je. Tu me mets dans des situations!...

– Tant mieux. Ça fait quinze jours que je cherche à m'en débarrasser. Evidemment, elle est assez bien foutue. Mais elle porte le même prénom que ma mère, et ça m'agace.

Suzanne revient. Elle a mis son manteau et va prendre son sac sur la cheminée.

– Tu veux que je te raccompagne? dis-je en mettant ma veste.

41

– Merci, tu es gentil.

– Tu pourrais dire au revoir! dit Guillaume.

Elle s'arrête et se retourne à demi :

– Je te dis adieu!

Il pouffe et chantonne :

« Adieu, la fille, adieu,

Ton sourire brille dans nos yeux! »

Elle hausse les épaules. Guillaume s'est levé et s'approche d'elle.

– Oh! écoute, ce n'était qu'un simple mouvement d'humeur. Tu m'excuses? Tu me pardonnes? Hein? Réponds-moi!

Le visage de Suzanne se détend. Elle ne peut réprimer un sourire. On sent qu'elle est vaincue. Excédé, je passe dans la pièce voisine.

Là j'attendis Suzanne quelques minutes qui suffirent à retourner contre elle la colère qui s'était amassée en moi contre Guillaume durant toute cette scène. Après tout, j'étais bien bête de me soucier de cette fille. Elle méritait ce qui lui arrivait : Guillaume était trop bon. Son absence de toute dignité justifiait le mépris que je n'avais cessé d'afficher pour ses manières, son physique.

Je pris la résolution de l'éviter coûte que coûte et j'y réussis quelques jours. Mais elle me guettait. Installée à la terrasse du café, elle surveillait la porte de mon hôtel et me faisait signe quand je rentrais chez moi.

– Je t'offre un café. Tu n'es pas archi-pressé?

Je n'arrivais pas toujours à me dérober, d'autant plus qu'elle savait inventer des ruses.

– Quelqu'un m'a demandé de tes nouvelles.

– Qui?

– Sophie.

– Ah!

– Nous avons déjeuné ensemble, l'autre jour. C'est vraiment une fille très bien.

– Ah oui? Je la connais peu…

La conversation tombait. Suzanne revient à la charge.

– Tu vas au Boom HEC?[1]

– Non, j'ai du travail.

– Tant que ça? Pour une fois!…

– Et puis, je suis fauché.

– Oh! Si ce n'est que ça, je t'invite.

– Je t'en prie!

– Mais si : je viens de toucher mon mois.

– Mais non, quoi.

– Si, viens! Tu me rendras service… Et puis Sophie y sera.

– Ce n'est pas une raison!

– Si! Je t'avancerai la somme. Tu me rembourseras plus tard. D'accord?

Je finis par céder. Suzanne ne m'avait pas menti. Sophie était venue sans cavalier et semblait des mieux disposée à mon égard. C'était la première fois que je m'adressais à elle en seul à seul. Elle me parla de Guillaume : je ne sus que me réfugier dans des affirmations péremptoires qui sapaient toute conversation.

– Vous le connaissez bien?

– C'est mon meilleur ami.

– C'est drôle! Vous êtes si différents tous les deux!

– Pas tellement! Au fond, sur beaucoup de points, on a les mêmes idées.

– Ça m'étonne…

La timidité me paralysait et l'étincelle escomptée ne jaillit pas. Suzanne, de son côté, s'amusait comme une folle avec des garçons tous plus laids les uns que les autres. Je

1. Bal annuel, donné par l'école des Hautes Etudes Commerciales.

sentis que je ne pourrais retenir Sophie plus longtemps. Elle se mit à répondre aux invitations avec une bonne grâce qui me navra.

Finalement, elle se perdit dans la foule, et je me retrouvai seul, à quatre heures du matin, en compagnie de Suzanne. Elle me conta ses malheurs qui n'étaient pas si différents des miens.

– Crois-moi, je me fiche de Guillaume. C'est fini entre nous. C'est un garçon intelligent, mais, sur certains points, il est complètement stupide. Il est même plutôt bête que méchant. Heureusement que j'ai bon caractère ! Mais, un jour ou l'autre, il trouvera à qui parler...

Le lendemain, Guillaume m'attendait à la sortie du cours :

– Eh bien, beau salaud ! Tu chasses dans mes platesbandes !

– Quoi ?

– Ne nie pas : on vous a vus au Boom.

– Ah ! Tu penses !

– Fais gaffe, mon vieux. Elle est plus maligne que tu ne crois.

– Je sais me défendre.

– Elle a bien réussi à se faire inviter !

– Non, c'est elle qui a payé.

– Sans blague ? Elle a casqué ? Oh là là. Fantastique ! Ça m'ouvre des horizons ! Nous allons la ruiner...

Suzanne, à son habitude, s'était installée au café, en sortant du bureau. Guillaume vint vers elle tout débonnaire.

– Tiens, Suzanne ! Ça fait une éternité qu'on ne t'a vue. Ça va ?

– Oui, très très bien, dit-elle froidement.

Mais en me voyant, son visage se radoucit.

– Bonjour Bertrand !

– Ça fait plaisir de se revoir, poursuivit Guillaume. Et, sans attendre d'être invité, il s'assit en face d'elle.

– Tu permets ?

– Je vais partir dans cinq minutes.

Je m'assis à mon tour. Il y eut un silence. Suzanne fixait sa tasse, tandis que Guillaume la dévisageait d'un air moqueur. Elle leva enfin les yeux vers lui et se mit à sourire.

– Suzanne ! On m'a dit que tu flirtais ! Ce n'est pas gentil. Et avec mon meilleur ami, encore !…

Une fois de plus, elle se rendit. Au moment de payer, Guillaume fit semblant de fouiller dans ses poches.

– C'est moche ! Je suis fauché ce soir. Bertrand, peux-tu payer pour moi ?

Je sortis mon portefeuille, mais Suzanne avait déjà ouvert son sac.

– Non, laisse ! Je vous ai invités.

– Hum !

– Si !

– Non, tu m'assommes, quoi ! dis-je en mettant un billet sur la table.

Suzanne le prit et me le tendit.

– Si je veux vous inviter, ça me regarde, je suis libre !

– Oui, tu es libre, si ça t'amuse !

Et je remis l'argent dans ma poche.

Suivit une période de deux à trois semaines pendant laquelle nous vécûmes délibérément aux crochets de Suzanne, la laissant nous inviter au café, au restaurant, au cinéma. Pour sauver les « convenances », elle allait jusqu'à nous passer l'argent sous la table. Je trouvais la chose chaque jour moins drôle. Guillaume, enfin, s'en alla pour quelques jours chez sa mère, mais Suzanne s'ingéniait tout de même à me poursuivre.

Quand le téléphone de l'hôtel était occupé, j'utilisais celui du café. Un jour, j'aperçus Suzanne assise à l'intérieur, contre la vitre, et je fis semblant de ne pas la voir. Mais elle se leva, et me rejoignit au sous-sol.

– C'est comme ça que tu me snobes! J'étais là-haut, je t'ai fait signe.

– Ah! Je ne t'ai pas vue!

– Tu as bien un instant? J'ai quelque chose à te dire.

En fait, elle voulait m'inviter à sortir avec elle. Je prétextai que je n'étais pas libre. Elle ne me crut pas :

– Si c'est question d'argent, ne t'en fais pas!

– Si justement. Ça me fait quelque chose…

– C'est fou ce que tu es bourgeois!

– Peut-être. Invites-en d'autres.

– Tu penses que si je voulais me faire inviter, ça ne serait vraiment pas difficile! Je passe mon temps à refuser. Ça te gêne que je te préfère?

Finalement, j'acceptai d'aller dîner chez « Maître Paul », le restaurant préféré de Guillaume, mais, le soir venu, comme je m'apprêtais à sortir, Guillaume justement survint. Il rentrait de Menton. Sa mère s'était remariée et s'installait là-bas. Mais il gardait l'appartement.

– Qu'est-ce que tu fais ce soir, dit-il. Tu sortais?

– Oui.

– On peut dîner ensemble. Je t'invite, j'ai du fric.

– Non, merci, je suis pris.

– Suzanne?

– Non!

– Tu peux me le dire. C'est elle?

– Oui.

– Ça va vos amours?

– Tu parles!

– Tu vas te raser! Amène-moi!

– Non quoi!

– J'ai une idée. Où allez-vous ? Chez Maître Paul ?

– Tu es vraiment emmerdant ! dis-je, vaincu.

– Je vous rencontrerai par hasard. Si elle fait la gueule, tu m'invites. Je te rembourserai après. Tu peux bien me rendre ce service, j'ai envie de me marrer ce soir. De toute façon, si elle t'a invité chez Maître Paul, c'est qu'elle espère m'y rencontrer.

Tout se passa selon le scénario prévu. Guillaume apparut comme nous en étions aux hors-d'œuvre et se fit adroitement prier.

– Comme cachette, avouez que ce n'est pas très bien choisi, fit-il en s'avançant vers notre table.

– Nous ne nous cachons pas, dis-je. Tu as dîné ?

– Non, mais…

– Assieds-toi. Je t'invite.

– Non merci… D'ailleurs Suzanne ne veut pas.

Elle haussa les épaules.

– Tu es bête !

– Sois franche !

– Mais je le suis, quoi !

Au dessert, Guillaume étant allé téléphoner, Suzanne me tendit encore mille francs. Mais cette fois, je refusai net.

– Ah ça non ! Ecoute… C'est moi qui l'ai invité.

– Mais tu es fauché !

– Non, pas plus que toi… Non, non remets ça dans ton sac.

– Bon, mais dans ce cas, je vous invite tous au club.

– Tu vas te ruiner !

– Ça me regarde !

Nous allâmes dans la même boîte que l'autre fois. Vers deux heures du matin, je somnolais sur la banquette. Guillaume me poussa du coude :

– Vite, filons !

– Et Suzanne ?

– Elle est aux lavabos. Surtout pas de morale.

Autant se brouiller tout à fait avec elle, pensai-je. Et je suivis mon camarade.

Je me doutais pourtant que cette fuite à l'anglaise serait peine perdue. Le lendemain, à midi, l'inévitable Suzanne bondissait sur moi.

– Comment va Guillaume, il a cuvé son alcool ?

– Il n'a pas osé rentrer seul en voiture. Il a couché chez moi, dans un fauteuil.

– De toute façon, finies les réjouissances. Nous sommes le 12 du mois et je suis à sec !

– Tu as tout de même pour bouffer ?

– Non, mais je me débrouillerai.

– Je peux te passer des tickets de resto.

– Non merci. Je déjeunerai chez une amie, une fille qui travaille avec moi… Tu sais ? Vous avez bien fait de partir : j'ai fait la connaissance d'un garçon sensationnel, un Ecossais. Vraiment, un type très bien. Nous devons nous revoir ce soir.

– Eh bien ! Félicitations. Au revoir.

– Tu peux le dire à Guillaume ! me cria-t-elle, tandis que j'étais déjà engagé sur la chaussée.

Et ce furent les vacances de Pâques que j'allais passer dans ma famille, à Saint-Brieuc. J'étais à peine de retour, achevant de vider ma valise et cachant entre les pages d'un bouquin non coupé les quarante mille francs que mes parents m'avaient donné pour un costume, que Guillaume frappe à ma porte. J'ai tout juste le temps de remettre le livre à sa place, sur la cheminée.

– Bonjour. Je passais voir si tu étais là.

– Je viens de rentrer.

– Tu as passé de bonnes vacances ?

– J'ai dormi. Et toi ?

– Fantastiques! C'est fou ce qu'il peut y avoir comme jolies filles à Menton… Et puis, juste avant de partir, j'ai fait la connaissance d'une fille sensationnelle. Elle est parisienne et rentre après-demain.

– Ah oui!

– Ce qui est moche, c'est que je n'ai pas de fric pour la sortir. J'ai coulé une bielle sur la route. Tu ne pourrais pas me prêter dix ou vingt mille francs?

– Oh, je ne les ai pas!

– Je reçois un mandat lundi. Tu as de l'argent : tu rentres de vacances!

– Non, mes parents m'envoient semaine par semaine.

– Tu ne vas pas me dire que tu n'as pas dix mille francs!

– Non, je viens de payer ma chambre.

La sonnerie d'appel retentit dans le couloir. C'était pour moi. Je descendis à la réception et pris le téléphone.

– Allo?

– Allo! C'est Suzanne. Tu as passé de bonnes vacances?… Quand est-ce qu'on se voit?… Tu viens à la surboum chez Daniel, jeudi en huit?

– Ah oui? Euh…

– Sophie y sera. Viens, quoi!

– Tu sais, j'ai une collante le lendemain… Bon! d'accord.

– Tu vois que je pense à toi.

– Je te remercie. Qu'est-ce que tu deviens? Et ton Anglais?

– Oh! Il est reparti. Et puis il n'était pas si intéressant que ça!…

Quand je remontai, Guillaume était en train de farfouiller dans les bouquins.

– C'était Suzanne, je parie.

– Non! dis-je.

– Tu l'as revue depuis?

– Je l'ai croisée une ou deux fois avant les vacances.

– Avec son Anglais?

– Tu es au courant?

– Plutôt. En tout cas, ça lui fait les pieds : le type a filé! Avoue, tu mens : c'est elle qui t'appelait!

– Non, je te dis!

– Tu mens.

– Tu es emmerdant, toi!

– C'était une fille! Ça se voit à ta tête.

– C'était Sophie, si tu veux savoir. Tu es content?

– Ah! Ah! dit Guillaume, un peu surpris. Eh bien, dans ce cas, vas-y, mon vieux, attaque : les filles aiment qu'on les force!

A la soirée, pendant que nous dansions, Sophie enfourcha son cheval de bataille : elle couvrait Guillaume de toutes les noirceurs.

– C'est possible, lui concédai-je. Mais il y a des choses que j'admets chez lui et pas chez les autres. Il peut se les permettre.

– Moi, j'admets tout chez les autres et rien chez lui. J'ai horreur de ce genre de fils à papa qui joue au petit voyou. Vraiment, ça ne lui va pas!

– Ça lui passera!

– C'est bien ce que je lui reproche : c'est du pur snobisme. Je hais les snobs.

– D'abord il n'est pas snob, et je me demande ce que vous avez contre lui. Vous ne le connaissez pas.

– J'ai assez entendu parler de lui.

– Oh, par Suzanne!

– Oui, Suzanne, précisément.

– Elle est assez grande pour se défendre toute seule. Elle n'a qu'à pas lui courir après!

– Vraiment, vous parlez comme un gosse!

Je savais de moins en moins comment m'y prendre avec elle. En tout cas, pas de la manière forte, selon le conseil de Guillaume. Suzanne, très disputée, mit d'accord tous ses danseurs en se prétendant fatiguée : elle avait des chaussures qui lui faisaient mal. Au moment de partir, elle m'attira dans la cuisine.

– Tu ne pourrais pas me prêter mille francs pour prendre un taxi ?

– Si, bien sûr.

Je sortis mon portefeuille et constatai qu'il était vide.

– Ça y est ! J'ai encore oublié de prendre de l'argent. Demande à Sophie.

– Non, pas à elle, surtout pas.

– A Machin ? (c'était le maître de maison)

– Ça m'ennuie, je lui dois de l'argent.

– Mais, tu fais la bringue, ma parole !

– Tu ne sais pas ? J'ai quitté mon travail, dit-elle avec un petit sourire crispé.

– Et tu vis de quoi ?

Elle eut un geste évasif.

– Il n'y a personne qui ait une voiture, repris-je, agacé de la voir s'accrocher à moi.

– Si, Jean-Louis (c'était un de ses amoureux transis). Mais j'aime mieux pas… Enfin…

Elle continuait à me fixer, le regard implorant, comme si j'étais sa seule planche de salut.

– J'ai de l'argent à l'hôtel, dis-je. Viens avec moi, si tu n'as pas trop mal aux pieds.

– Oh ! Je peux bien marcher trois cents mètres !

Et elle me suivit tout en boitillant.

– Ecoute, dit-elle, quand nous fûmes parvenus à la porte de l'hôtel. Tu es très gentil. Je ne veux pas te faire monter deux fois tes six étages. J'ai vraiment très mal aux pieds. Je ne sais si j'aurais la force d'aller jusqu'à la station de taxis… Si ça ne t'ennuie pas, je peux monter chez toi. Je bouquinerai, je me mettrai dans un fauteuil.

– D'accord, dis-je, moins convaincu par ces arguments que déconcerté par l'insolite de la proposition.

J'ajoutai simplement :

– A condition de ne pas faire de bruit en entrant.

– Tu tiens à ta réputation !

– Ben quoi !

Dès qu'elle fut dans ma chambre, Suzanne s'assit dans le fauteuil. Elle ôta ses souliers, ramena ses jambes sous elle et, tout en se calant, accrocha l'ourlet de sa jupe à un clou qui dépassait.

– Zut, alors !

– Qu'est-ce qu'il y a ?

– J'ai encore déchiré ma jupe. Tu n'aurais pas une épingle.

– J'ai mieux, une aiguille et du fil, dis-je en allant ouvrir un tiroir.

– Merveilleux !... Ce qui est moche, c'est que c'est ma seule jupe à peu près mettable.

– Et la robe que tu avais au boom ?

– On me l'avait prêtée. De toute façon, je ne pourrais pas la porter tous les jours.

Je lui tends une bobine de fil noir et une aiguille qu'elle enfile.

– Naturellement, tu n'as pas de dé ?

Je mets un genou à terre et lui prends l'aiguille.

– Ce n'est pas la peine. Tu vois, je ne pousse pas, je tire.

Je suis tout près d'elle, mes mains sur ses genoux, mon visage contre le sien. La présence d'une fille dans ma chambre à cette heure tardive, si « moche » soit-elle, me trouble un peu. L'attention dont Suzanne m'entoure depuis quelque temps, son insistance à monter ici, l'incident, peut-être provoqué, de la jupe autoriseraient tous mes espoirs, si j'avais des vues sur elle. Que veut-elle au juste ? Il y a quelque chose de concerté, ce soir, dans son attitude. Ou bien n'est-ce que de la gêne?

Mais à peine ai-je eu le temps de me poser la question qu'elle a repris l'aiguille, me repousse un peu et se met sur la défensive.

— Ah! ces garçons! Bon, ça va, j'ai compris.

— Eh! débrouille-toi! dis-je en me relevant.

Je suis vexé. J'entends le lui faire sentir. Je vais prendre mon pyjama :

— Je suis peut-être un muffle, dis-je en passant derrière le fauteuil et commençant à me déshabiller, mais je ne dors bien que dans mon lit, et j'ai une collante demain.

— Je t'en prie, dit Suzanne reprenant son ton aimable, ne t'en fais pas pour moi, je suis très bien.

Elle étire ses jambes et frotte ses pieds l'un contre l'autre. Elle poursuit :

— Je suis si fatiguée que je me sens capable de dormir n'importe où. Je suis vraiment furieuse contre moi. Je me suis fait avoir par une crétine de vendeuse : je ne peux absolument pas entrer dans ces chaussures et je n'en ai pas d'autres.

— Eh bien, rapporte-les!

— Je ne peux pas. Je les ai déjà portées deux jours. Et avec ça, j'ai entamé ce matin mon dernier billet de mille.

— Ça va vraiment si mal?

— Hé oui!

— Je te prêterais bien, mais j'ai mon dentiste à payer. Si tu pouvais attendre la semaine prochaine?

— Je t'en prie, Bertrand, tu es très gentil. Je me débrouillerai.

— Tu vois, je suis vraiment très gêné. Je t'ai fait perdre ton argent.

— Si je l'ai dépensé, c'est que ça me plaisait. Nous avons passé d'excellentes soirées. Tu ne crois pas? C'est l'es-

53

sentiel. L'argent, ça se trouve. Il suffit que je cherche... Tu vois, ce que je voudrais, c'est un emploi à mi-temps. D'ailleurs, je crois que je vais bientôt filer en Italie. Tous ces petits Français m'assomment.

Je déclame :

– On dit qu'il y a de beaux hommes là-bas !

Elle hausse les épaules.

– Tu ne me croiras pas, mais je n'ai trouvé ici aucun garçon qui me plaise. Absolument aucun.

– Tu es trop difficile !

– Et toi, tu ne l'es pas ? Guillaume, contrairement à ce que tu penses, je ne l'ai jamais pris au sérieux. Même en admettant que j'aie été un peu amoureuse de lui... Je peux te le dire, il n'y a que toi que je supporte. Tu es la pire crapule, mais on s'entend bien tous les deux. Les autres, ils ne cherchent qu'à coucher avec vous, et puis bonsoir !

– J'en connais au moins dix qui feraient des folies pour toi !

– Qui ?

– Je ne sais pas : Jean-Louis, François...

Elle fait la moue :

– Beuh ! Si tu n'as que ça à me proposer ! Non, tu vois, il n'y a que toi que j'aime bien. Avec toi on est tranquille. C'est rare de trouver un garçon comme toi qui n'embête pas les filles, tu sais !

Je suis en train de me laver les mains. Je ne réponds pas sur le moment, puis je lâche :

– Ça dépend desquelles !

– Merci !

– Excuse-moi, c'est parti tout seul !

– Ah ! Ah ! C'est fou ce que tu peux être idiot parfois !

– Comment ?

– Rien. Non, vraiment, crois-moi. Je te veux le plus grand bien.

Je vais à mon lit, et commence à me glisser dans les draps. Je ricane :

– Je n'en ai jamais douté !

– Et tes amours, ça marche ?

– Mochement.

– Ecoute, maintenant c'est à toi de te débrouiller. Tu sais, les filles aiment qu'on les force.

– Encore une des théories de Guillaume !

– Avouons qu'il s'y connaît !

– Ce n'est pas sûr, du moins pas toujours !

– Dans le cas d'une fille comme Sophie, il ne faut pas hésiter. Elle est sur la défensive, mais c'est une façade. Il faut bien : tous les garçons tournent autour d'elle.

– Je sais ce que je fais, dis-je du même ton rogue.

– Euh ? Tu m'amuses.

– Ben tant mieux. Tu sais, je suis beaucoup moins gentil que tu ne crois !

– Je le sais, je te connais. Je te connais même très bien !

– Eh bien alors : si on se connaît, inutile de se raconter sa vie. Bonsoir !

J'ai achevé de remonter mon réveil. Je m'allonge et me tourne vers le mur, tandis qu'elle allume une cigarette.

A huit heures du matin, le réveil tinta. J'allai secouer Suzanne qui n'avait rien entendu et dormait sur son fauteuil. C'est à peine si elle bronche. Ma toilette faite, je reviens vers elle et la pousse plus fortement.

– Suzanne, viens vite !…

Elle se lève en soupirant, fait trois pas et s'effondre sur le lit. J'entends dans le couloir la voix de la femme de ménage et le bruit de l'aspirateur. J'entrebâille la porte.

– Bonjour Madame !

– Bonjour Monsieur ! Je peux faire votre chambre, maintenant ?

– Non, je préfère à onze heures. Au revoir Madame !

Je retourne à Suzanne, toujours sur le lit, et lui touche l'épaule.

– Suzanne ? Tu m'écoutes ?

– Mm… Mm…

– Tu m'attends jusqu'à onze heures !

Je sors et, après une hésitation, laisse la clef sur la porte, pour que la femme de ménage me sache toujours là et n'ait pas l'idée d'entrer avec son passe. Précaution inutile : elle est dans la chambre à côté, porte ouverte, et m'aperçoit.

– Mais, vous sortez ?

– Non, je remonte tout de suite. Venez à onze heures.

– Bon, je vais faire l'étage du dessous.

– Parfait, dis-je rassuré.

Quand je rentrai après le cours, Suzanne n'était plus là. Sur la table un mot d'elle, mis en évidence, disait : « Je dois partir, j'ai rendez-vous ». Mes yeux se portent machinalement sur la cheminée : l'ordonnance des livres me paraît troublée. Celui où j'ai caché mon argent dépasse un peu. Je le prends, glisse mes doigts entre les pages, le secoue au-dessus de la table. Un billet de dix mille francs finit par tomber. Ce sera le seul. J'ai beau continuer à secouer le livre, à couper les pages avec un coupe-papier, je dois me rendre à l'évidence : les trois autres billets ont disparu.

Je sors et cours au café. Jean-Louis, le soupirant malheureux de Suzanne, est au fond de la salle. Je le questionne. Il me dit qu'elle est passée puis repartie, il y a moins d'une demi-heure. Je lui demande s'il ne connaît pas son adresse.

– Tu dois la savoir mieux que moi, répond-il un peu surpris. Demande à Guillaume.

Je descends à la cabine. Guillaume n'est pas au bout du fil. J'appelle alors Sophie qui, par chance, est chez elle. Elle me répond très aimablement, s'enquiert du succès de mon interrogation. Mais elle ignore, elle aussi, l'adresse exacte de Suzanne. Peut-être Guillaume la sait-il. « Mais, ajoute-t-elle aussitôt, elle me téléphone presque tous les jours, et je peux lui faire une commission. » Elle devine que je n'ose lui expliquer par téléphone de quoi il s'agit et me propose d'aller l'attendre, en fin d'après-midi, à la sortie de ses cours à l'Alliance Française...

Lorsque je lui exposai ma mésaventure, Sophie compatit sans trop d'ironie. Mais ses soupçons se portèrent dans tout autre direction que les miens. Elle me demanda si j'avais signalé le vol à la direction de l'hôtel.

— Non, dis-je, il aurait fallu tout raconter.

Elle éclata de rire.

— Tu ne voulais pas que l'on sache que tu amenais de petites femmes chez toi !

Elle s'était mise à me tutoyer et je me sentais avec elle moins compassé que les autres jours.

— Tu as bien fait, ajouta-t-elle. Je suis persuadée que ce n'est pas Suzanne.

— Moi j'en suis sûr.

— Ce peut être quelqu'un d'autre. Dans un hôtel, tu sais... la femme de ménage...

— Non, sûrement pas !

— Quelqu'un de tes petits copains : Guillaume ?

— Toujours lui !

— Pourquoi pas lui ? Tu crois qu'il aurait eu des scrupules.

— Pour ça quand même !... Et puis, je ne l'ai jamais laissé seul...

Je pensai brusquement au jour où j'étais descendu téléphoner et l'avais retrouvé furetant dans mes livres. Evidemment, je n'avais pas songé à vérifier, après son départ. Mais mon absence avait été courte : il lui aurait fallu beaucoup de chance ou de flair !

– … Non ce n'est pas lui, repris-je, sans laisser deviner la véritable cause de mon interruption. Ce n'est pas son genre.

– Il a bien ruiné Suzanne !

– Ce n'était pas la même chose ! C'était pour s'amuser.

– Drôle d'amusement ! Il te mène par le bout du nez.

Etait-ce Guillaume ? Je le vis deux fois, en tout et pour tout ce trimestre-là. Il avait du travail, moi aussi. Je n'osai lui raconter le vol, de peur de ses sarcasmes. Et puis, c'était Suzanne que j'aimais à croire coupable. La chose m'irritait moins venant d'elle que de Guillaume dont les mauvais coups ne s'étaient jamais jusqu'à présent dirigés contre moi.

Sophie et moi, nous continuions à nous voir assez régulièrement. La faculté n'était pas loin du boulevard Raspail et cela facilitait les rencontres. Mais ma cour n'en était pas plus avancée.

– Tu vois, lui dis-je, comme nous étions installés à la terrasse du Luco, par une fin d'après-midi de mai, ce qui me fait penser que ce n'est pas Guillaume, ce sont les dix mille francs qui restaient dans le bouquin… C'était drôlement maladroit, presque touchant. Ce serait plutôt le genre de Suzanne… Au fond, c'était une brave fille.

– Ah, j'aime te l'entendre dire ! dit Sophie à qui certaines subtilités de langue française échappaient encore.

– Ben, j'ai toujours dit qu'elle était moche, mais…

– « Moche », tu ne sais que dire ça ! Suzanne n'est pas « moche ». Elle n'est peut-être pas d'une beauté classique, mais elle a du chien. C'est une fille très racée. Elle a des attaches fines et de très belles mains. Je trouve que c'est la jeune fille française type.

Je ricanai :

– Ça ne me rend pas patriote !

– Hé, hé ! C'est drôle, n'est-ce pas ?… Et puis, que tu le veuilles ou non, elle plaît aux hommes.

– Moi, elle ne me plaît pas.

– Ça ne m'étonne pas. Tu es un gamin.

– Tu plais donc aux gamins.

– C'est là mon drame ! Hé, oui ! dit-elle d'un air mi-ironique, mi-convaincu.

Je me crus autorisé, par cette confidence, à lui prendre la main. Mais elle se dégagea sèchement.

– Laisse, je te dis. Sinon, je vais me fâcher !

Je n'insistai pas. Cette nouvelle rebuffade s'ajoutait à une liste déjà longue. Tout était perdu, mais je n'osais pas encore me l'avouer. Je me contentai de bouder quelques instants, tandis qu'elle me contemplait avec une compassion amusée. Ce fut elle qui rompit le silence :

– Oh ! Je peux bien te le dire, commença-t-elle d'un air pénétré : Suzanne va se marier.

Je bondis :

– Quoi ? Tu l'as revue ?

– Elle me téléphone depuis quelques jours.

– Ah oui ! Tiens, tiens ! Et avec qui ?

– Avec un garçon que… Mais tu le connais, Franck Schaller.

– Schaller ? Je ne vois pas.

– Mais si ! Il était venu avec moi à la soirée chez Guillaume. Tu te souviens ?

– En somme, elle te l'a soufflé ! dis-je, tandis qu'un monde commençait à s'ouvrir devant moi.

Cette conclusion inattendue m'entraîna dans une très sérieuse révision de mes idées. Je n'avais vu jusque-là en Suzanne que la victime promise à toutes les vexations de Guillaume. En fait, elle flattait moins son amour-propre que certains de ses goûts qu'il taisait par pudeur ou respect humain. Il y avait une ressemblance physique très nette – j'avais mis longtemps à m'en apercevoir – entre toutes les filles qu'il avait pu courtiser. Elles n'étaient pas « moches », comme je prétendais, mais se rattachaient, moins par leur visage que par leur corps, à un type très précis. Se contentant de traiter d'« échalas » Sophie et les filles un peu grandes, il ne cherchait pas à justifier plus amplement son attirance pour les femmes plutôt menues et bien en chair.

L'année s'achevait. Tandis que j'étais en train de me faire recaler à mes examens et de perdre Sophie, Suzanne, elle, était heureuse. Sans le vouloir, même, elle me narguait, quand je la rencontrais sur le boulevard, au café ou à la piscine, au bras de son beau Franck. Cette fille, pour qui je n'avais pu éprouver, au cours de l'année, qu'une espèce de pitié honteuse, nous réglait notre compte à tous sur la ligne d'arrivée, et nous réduisait au rang des gamins que nous étions. Coupable ou non, naïve ou rusée, après tout, qu'importait ? En me privant du droit de la plaindre, Suzanne s'assurait sa vraie revanche.

III

Ma nuit chez Maud

Je ne dirai pas tout dans cette histoire. D'ailleurs il n'y a pas d'histoire, mais une série, un choix d'événements très quelconques, de hasards, de coïncidences, comme il en arrive toujours plus ou moins dans la vie, et qui n'ont d'autre sens que celui qu'il m'a plu de leur donner.

Je m'en tiendrai à une certaine ligne, une certaine façon qu'ont les choses d'arriver, un certain air par lequel elles s'annoncent. Mes sentiments, mes idées, mes croyances n'entrent pas en ligne de compte, bien qu'il en soit ici longuement question. Je les donne pour tels, je n'ai ni à les faire partager, ni à les justifier.

J'étais à Clermont-Ferrand. Ingénieur chez Michelin depuis deux mois. Auparavant, dans une filiale de la Standard Oil à Vancouver, puis à Valparaiso. Je n'avais jamais songé à m'expatrier. Un attachement dont je ne dirai rien avait retardé mon retour en France. Maintenant j'étais libre et songeais au mariage.

Clermont, que je ne connaissais pas, me conquit dès mon arrivée. Sa position géographique est à l'inverse exact de celles des deux villes d'Amérique où j'avais résidé et qui regardent le couchant. Ici, au contraire, la plaine de la Limagne s'ouvre à l'Est, et l'on s'appuie, à l'Ouest, sur la montagne. Je suis très sensible à l'orientation des lieux. La maison où j'habitais se trouvait sur les hauteurs de Ceyrat et, devant mes yeux, s'étendait un immense panorama, bordé, à vingt kilomètres de distance, par la ligne évanescente des monts du Forez. Cette vue vaste, mais finie, rassurait. Elle favorisait la concentration d'esprit.

Pour le moment, je n'ai envie de me lier avec personne. Je parle, à l'occasion, avec mes collègues, de la pluie et du beau temps. Je ne cherche pas à cultiver mes relations. L'ambiance est austère ici, mais je crois que je renchéris sur la froideur générale.

Ce goût pour la solitude est inhabituel chez moi. A l'étranger, je me lie très vite, sans précautions, car je sais que tous les liens sont fragiles. Ici, j'observe et garde les distances.

Depuis mon retour, je me suis pris d'une frénésie d'étudier. Les mathématiques d'abord, avec lesquelles les nécessités professionnelles m'ont fait renouer, mais que je cultive aussi pour elles-mêmes, comme cela m'arrive, par crises, tous les deux ou trois ans. Un jour, dans une librairie où je cherchais des ouvrages sur le calcul des probabilités, j'ai jeté un coup d'œil sur le rayon des livres de poche et j'ai acheté les *Pensées* de Pascal. Je ne les avais pas relues depuis le lycée. Pascal est un des écrivains qui m'ont le plus marqué. Je croyais le savoir par cœur : je retrouvai en effet un texte familier, mais ce n'était plus le même texte. Celui que je gardais en mémoire ne fustigeait que la nature humaine dans sa généralité. Ce que j'avais maintenant sous les yeux était quelque chose d'intransigeant, d'excessif, qui me condamnait moi et ma propre vie passée ou à venir. Oui, qui me visait tout particulièrement moi.

Mon effervescence intellectuelle allait de pair avec un retour à la pratique religieuse. Et c'est là que Pascal me gênait. Je m'arrêtais là où il commençait : « prendre de l'eau bénite, dire des messes… ». Entre les impies et les saints, il ne laissait pas de place à l'homme de bonne volonté que je voulais être.

Je vais, tous les dimanches, à la messe de onze heures à Notre-Dame du Port. J'ai ma voiture et les distances ne comptent pas. Je ne sens pas ma foi encore assez forte pour affronter le monde clos de ma paroisse suburbaine. Dans la nef et les bas-côtés de la basilique romane, la foule est dense, vivante, variée : c'est le cadre qui convient le mieux à mon zèle incertain de néophyte. J'y ressens très fort ma solitude et j'éprouve une envie pressante d'en sortir. J'aperçois souvent un jeune couple dont les tendresses, en d'autres temps, m'eussent fait sourire, et que maintenant j'envie. Je vois aussi, depuis quelques semaines, chaque dimanche à la même place, une jeune fille blonde d'une vingtaine d'années. C'est Françoise. Je ne sais encore rien d'elle. Je ne suis pas sûr qu'elle m'ait remarqué, et pourtant s'est déjà installée en moi l'idée nette, précise, définitive, qu'elle serait ma femme.

Je sais, la chose est trop belle, la fin trop morale. Et pourtant, je ne doute pas que cela sera. Je refuse même d'appeler superstition cette confiance quasi absolue que j'ai en mon destin. J'ai toujours eu, depuis ma tendre enfance, la certitude d'avoir Dieu avec moi. C'est pourquoi je n'ai attaché aucune importance à tout ce qui a pu jusqu'ici contrarier ma marche. Je savais que j'aurais le dernier mot et que j'accéderais tôt ou tard au but conjointement fixé par moi et par le Ciel.

Je n'en dirai pas plus sur mes mobiles et mes croyances. Mes propos ultérieurs suffiront amplement à les faire connaître. Sans doute ne serai-je pas toujours très franc avec les autres, mais l'on se ment à soi-même aussi. Passons aux faits. Ma foi en mon destin ne me rend pas fataliste : j'étais résolu à mettre dans l'entreprise le plus possible du mien. En essayant par exemple, pour commencer, de suivre Françoise : mais ce n'était pas si simple. Elle venait à l'église à vélomoteur. Il fallait m'arranger pour sortir avant elle et dégager ma voiture. J'y réussis un jour, mais je perdis sa trace dans les petites rues du vieux Clermont. Habitait-elle dans le centre ? Dans ce cas, je m'étonnais qu'elle prît son solex pour un trajet aussi court. Il était plus vraisemblable qu'elle venait de la périphérie, ce qui ne facilitait pas les recherches.

La rencontre en semaine était tout à fait improbable. Je quittais Ceyrat avant le jour et déjeunais à la cantine. Après le travail, évitant le centre encombré, je rentrais par les boulevards extérieurs. Un soir pourtant – c'était, je m'en souviens, le 21 décembre – comme je prenais exceptionnellement l'avenue des Etats-Unis, ayant des achats à faire en ville, et que la circulation, depuis quelques minutes, se trouvait bloquée, je vois tout à coup surgir dans mon champ de vision ma blonde cycliste qui se faufile le long du trottoir, à droite, et me double. Je ne pense qu'à une chose : elle va m'échapper ! Machinalement, j'appuie sur l'avertisseur. Elle se retourne le temps d'un éclair, sans ralentir sa marche, et s'enfonce dans l'ombre. Il me semble qu'elle a souri.

Je suis sûr de mon succès, maintenant. Il faut que je la retrouve au plus vite. Pourquoi pas tout de suite ? Elle doit être venue faire des courses. Je gare ma voiture et j'explore les grands magasins, les librairies, les cafés. Mais c'est en vain.

Je ne me décourageai pas pour si peu. Noël approchait. Peut-être allait-elle partir en vacances. Il y avait foule, en fin de journée, dans les rues et les boutiques. C'était le moment de tenter ma chance.

Je poursuivis donc mes recherches le lendemain et le surlendemain. Et c'est ainsi que, le mercredi 23 décembre, à six heures et demie, je rencontrai Vidal. J'entrais dans un café : il s'apprêtait à en sortir en compagnie d'une étudiante. Nous nous reconnûmes tous deux en même temps.

– Tiens, Vidal ! Tu es à Clermont ?

– Ben oui… et toi ?

– Voyons-nous un de ces jours, dis-je, un peu contrarié d'être dérangé dans mon enquête.

Il hésita une seconde, comme si ma présence troublait aussi ses plans, puis se décida :

– Tout de suite, si tu veux.

Poliment, la jeune fille prenait congé de lui. J'aurais pu prétexter que je n'étais pas libre, mais plutôt que courir vainement les rues, ne valait-il pas mieux saisir cette chance de m'introduire dans le milieu étudiant ? J'avais deviné que Vidal était professeur à l'université : au lycée, nous nous partagions les premières places, moi en sciences, lui en lettres.

– Oui, dit-il, en montant avec moi à la mezzanine, je suis chargé de cours de philo à la fac. Et toi ?

– Chez Michelin depuis octobre. Je reviens d'Amérique du Sud.

– Ça fait déjà plus de deux mois : c'est curieux qu'on ne se soit pas encore rencontrés.

– Tu sais, j'habite Ceyrat et, le soir, je rentre directement. Quelquefois, je vais au restaurant, mais j'aime mieux faire la cuisine. A l'étranger, je voyais trop de monde. J'ai envie d'être seul quelque temps.

– Je peux m'en aller, dit-il, en faisant mine de se lever.

– Je ne parle pas de toi, dis-je, aimable.

Et j'expliquai, pour rattraper :

– Je veux dire que je n'ai pas envie de chercher à connaître des gens nouveaux…

– Oh! Les gens, ici, ce n'est ni mieux ni plus mal qu'ailleurs.

– Mais, je suis ravi de rencontrer par hasard, et…

– Tu n'es pas marié? dit-il, coupant court à mes justifications.

– Non, et toi?

– Oh non! Enfin non, je ne suis pas pressé. Pourtant, en province, la vie de célibataire n'est pas une chose extrêmement réjouissante. Qu'est-ce que tu fais, ce soir?

– Rien, dînons ensemble.

– Je vais au concert de Léonide Kogan. Viens, j'ai une place : je devais y aller avec quelqu'un qui n'est pas libre.

– Non, dis-je, je n'ai pas envie d'écouter de la musique ce soir.

– Il y aura le tout-Clermont. Pas mal de jolies filles.

– Tes étudiantes? dis-je, sceptique.

– Il y a de très jolies filles à Clermont, répliqua-t-il avec véhémence. Malheureusement, on ne les voit pas beaucoup. Je suis sûr que tu vas faire des ravages.

– Je n'ai jamais fait de ravages…

Vidal m'observait, ironique. Sans doute avait-il deviné, à la façon dont j'étais entré dans le café, que je cherchais quelqu'un. Mais je m'avisai que Françoise pouvait fort bien venir à ce concert. C'est pourquoi j'acceptai.

– Bon, j'irai, rien que pour te démentir.

L'idée de *rencontre* devait obséder Vidal non moins que

moi, car la conversation dévia sur elle, presque sans transition.

– Tu viens souvent ici ? lui demandai-je.

– Pour ainsi dire jamais. Et toi ?

– C'est la première fois que j'y mets les pieds.

– Et c'est ici, précisément, que nous nous sommes rencontrés. C'est étrange !

– Non, au contraire, dis-je, c'est tout à fait normal. Nos trajectoires ordinaires ne se rencontrant pas, c'est dans l'extraordinaire que se situent nos points d'intersection : forcément !… Actuellement, expliquai-je avec un petit sourire en guise d'excuse, je fais des mathématiques à temps perdu. Ça m'amuserait de définir les chances que nous avions de nous rencontrer, disons, en moins de deux mois.

– Tu crois que c'est possible ?

– C'est une question d'information et de traitement de l'information. Encore faut-il que l'information existe. (Il va sans dire que je pensais à Françoise.) La probabilité que j'ai de rencontrer une personne dont je ne connais ni le domicile, ni le lieu de travail est évidemment impossible à déterminer. Tu t'intéresses aux mathématiques ?

– Un philosophe a de plus en plus besoin de connaître les mathématiques. Par exemple en linguistique, mais même pour les choses les plus simples. Le triangle arithmétique de Pascal est lié à toute l'histoire du pari. Et c'est par là que Pascal est prodigieusement moderne : le mathématicien et le métaphysicien ne font qu'un.

– Ah, tiens ! dis-je, Pascal !

– Ça t'étonne ?

– C'est curieux. Je suis justement en train de le relire, en ce moment.

– Et alors ?

– Je suis très déçu.

– Dis, continue, ça m'intéresse.

– Ben, je ne sais pas. D'abord, j'ai l'impression de le connaître presque par cœur. Et puis ça ne m'apporte rien : je trouve ça assez vide. Dans la mesure où je suis catholique, ou tout au moins j'essaie de l'être, ça ne va pas du tout dans le sens de mon catholicisme actuel. C'est justement parce que je suis chrétien que je m'insurge contre ce rigorisme. Ou alors, si le christianisme c'est ça, moi je suis athée !… Tu es toujours marxiste ?

– Oui, précisément : pour un communiste, ce texte du pari est extrêmement actuel. Au fond, moi, je doute profondément que l'histoire ait un sens. Pourtant, je parie pour le sens de l'histoire, et je me trouve dans la situation pascalienne. Hypothèse A : la vie sociale et toute action politique sont totalement dépourvues de sens. Hypothèse B : l'histoire a un sens. Je ne suis absolument pas sûr que l'hypothèse B ait plus de chances d'être vraie que l'hypothèse A. Je vais même dire qu'elle en a moins. Admettons que l'hypothèse B n'a que dix pour cent de chances et l'hypothèse A quatre-vingt-dix pour cent. Néanmoins, je ne peux pas ne pas parier pour l'hypothèse B, parce qu'elle est la seule qui me permette de vivre. Admettons que j'aie parié pour l'hypothèse A et que l'hypothèse B se vérifie, malgré ses dix pour cent de chances, seulement : alors j'ai absolument perdu ma vie… Donc je *dois* choisir l'hypothèse B, parce qu'elle est la seule qui justifie ma vie et mon action. Naturellement, il y a quatre-vingt-dix chances pour cent que je me trompe, mais ça n'a aucune importance.

– C'est ce qu'on appelle l'espérance mathématique, c'est-à-dire le produit du gain par la probabilité. Dans le cas de ton hypothèse B, la probabilité est faible, mais le gain est infini, puisque c'est pour toi le sens de ta vie, et pour Pascal le salut éternel.

– C'est Gorki – ou Lénine, ou Maïakovski, je ne sais

plus – qui disait, à propos de la Révolution russe, que la situation était telle, à ce moment-là, qu'il fallait choisir *la* chance sur mille, parce que l'espérance, en choisissant cette chance sur mille, était infiniment plus grande qu'en ne la choisissant pas...

Françoise n'était pas au concert. J'invitai Vidal à dîner dans une brasserie. En d'autres circonstances, peut-être n'aurions-nous pas eu grand-chose à nous dire. Mais, ce soir-là, chacun trouvait en l'autre le contradicteur dont il avait besoin pour asseoir sa position morale du moment. Notre conversation se prolongea jusqu'à la fermeture de l'établissement et nous laissa sur notre faim. C'est pourquoi nous décidâmes de nous revoir au plus tôt.

– Demain, malheureusement, dis-je, je ne suis pas libre. C'est le 24. Je vais à la messe de minuit... Mais viens avec moi!

– Pourquoi pas? dit Vidal, sans paraître voir de malice dans ma proposition. A vrai dire, poursuivit-il, je devrais aller réveillonner chez une amie, mais il n'est pas certain qu'elle soit là. Elle a des problèmes familiaux.

– Tu sais, je disais ça comme ça...

– Mais si, mais si. De toute façon, elle ne sera pas chez elle avant minuit. Elle doit aller chercher sa fille : elle est divorcée. Si tu veux, nous pourrons y aller ensemble, après la messe.

Point de Françoise non plus à la messe de minuit. Au sortir de l'église, Vidal alla téléphoner dans un café.

– Non, ce soir, ce n'est pas possible, dit-il en revenant. Son ex-mari était de passage à Clermont. Ils avaient encore des questions d'argent à régler. Ça l'a, paraît-il, épuisée. Elle se couche. Mais viens demain!

– Non, je ne la connais pas.

– Vous ferez connaissance. Maud est une femme remarquable, tu verras. Une des rares filles bien. Tu seras ravi de la connaître… et elle aussi.

– Ne t'avance pas trop !

– Tu sais, elle vit assez retirée depuis son divorce. Elle ne se sent pas à l'aise dans son milieu. Elle est médecin, spécialiste des enfants. Son mari est médecin, lui aussi. Il était professeur à la faculté. Je l'ai très peu connu : il est maintenant à Montpellier… C'est une femme *très* belle.

– Epouse-la !

– Non ! Si je dis non, c'est que le problème a été posé et résolu. Nous ne nous entendons pas pour le… quotidien. N'empêche que nous sommes les meilleurs amis du monde. Tu vois, si je t'ai dit de venir, c'est que je sais très bien ce que nous ferions, si tu ne venais pas : nous ferions l'amour.

– Alors, je ne viens pas !

– Si, si. Nous ferions l'amour comme ça, par désœuvrement. Ce n'est pas une solution, ni pour elle, ni pour moi. D'ailleurs, tu me connais, je suis très puritain.

– Plus que moi ?

– Oh combien !

Maud habitait un immeuble moderne, au coin de la place de Jaude, juste au-dessus du café où j'avais rencontré Vidal. La bonne espagnole nous introduisit dans une vaste salle de séjour qui respirait la simplicité cossue. Face à la porte d'entrée, devant de hauts rayonnages bourrés de livres, sur une petite table ovale, le couvert était déjà mis. A l'autre extrémité, recouvert d'une ample fourrure blanche dont les pans traînaient sur la moquette, un divan – qui se révéla être le lit même de la maîtresse de maison – faisait face à un demi-cercle de fauteuils bas et moelleux. Dans cet ensemble en camaïeu, confortable et feutré, à peine animé par quelques peintures abstraites et, au-dessus du lit, deux dessins d'hommes nus de Léonard de Vinci, un arbre de Noël, avec ses lampions et ses cheveux d'anges, détonnait presque.

Maud entra. C'était une femme d'environ trente ans, brune, élancée, assurément « très » belle. Vidal alla vers elle et l'embrassa avec fougue. Elle se laissa faire un moment, puis se dégagea :

– Ah ! Quelle tendresse ! Tu as l'air d'être en pleine forme.

– On ne s'est pas vus depuis une éternité !

– Oui, depuis une semaine, dit-elle en me regardant.

Elle me tendit la main et m'invita à m'asseoir. Vidal et moi, nous nous mettons dans un fauteuil. Elle s'installe en face de nous, sur le rebord du divan.

– Alors, vous ne vous étiez pas vus depuis quinze ans !

– Oui, dis-je… Enfin, disons quatorze.

– Et vous vous êtes reconnus tout de suite ?

– Sans hésiter, dit Vidal.

Il se tourne vers moi :

– Tu n'as pas changé.

– Toi non plus.

Maud nous contemple, amusée :

– Vous faites très adolescents prolongés tous les deux.

– Il faut le prendre comme une critique ou un compliment ? dit Vidal.

– Comme rien. C'est une constatation.

– Et pourtant, dis-je, nous n'avons pas eu la même vie.

Vidal acquiesce et me désigne emphatiquement :

– Il a eu beaucoup d'aventures.

– Ah ! Racontez-moi.

– Non ! J'ai tout simplement vécu à l'étranger.

– Dans la brousse ?

– Dans des villes tout ce qu'il y a de plus bourgeois. Vancouver, au Canada, et Valparaiso.

– Même Valparaiso ?

– Oui, du moins dans mon milieu. Les gens que je fré-
quentais étaient bourgeois comme on peut l'être à Lyon
ou à Marseille.

– Ou ici ! dit Vidal d'un air désabusé.

Maud l'approuve, tout en prenant une cigarette :

– Où qu'on aille, on est condamné à la province… Enfin,
« condamné » : moi je préfère la province.

– Et tu veux quitter Clermont !

– Pas la ville, mais les gens. J'en ai assez de voir les mêmes
têtes.

– Même moi ?

Il lui a pris la main. Elle la lui abandonne quelques instants puis la retire et recule un peu sur le divan.

– Tu sais, c'est décidé : je pars. Si tu m'aimes, suis-moi.

– Et si je le faisais ? dit-il en venant s'asseoir à côté d'elle.

– Je serais bien embêtée !

Il l'enlace et la lutine un peu. Elle le repousse d'un air
faussement outré.

– Allons ! Quelle tenue pour un professeur, et prof de
fac par-dessus le marché !

Il retourne à son fauteuil :

– Bon, soyons sérieux… Tu as passé un bon Noël ?

– Excellent. Marie était aux anges – c'est ma fille, elle a huit
ans, elle est noyée de cadeaux. Et toi, qu'est-ce que tu as fait ?

– Je suis allé à la messe de minuit.

Elle pouffe :

– Ça ne m'étonne pas de toi. Tu finiras curé !

– C'est lui qui m'a entraîné.

– Non, dis-je, pas exactement.

– Enfin, j'ai voulu te suivre.

Maud jette sur moi un regard curieux.

– Vous êtes catholique ?

– Oui.

– Catholique pratiquant ?

– Ben, oui.

– A le voir, on ne dirait pas! dit Vidal.

– Si, dit-elle, je vous vois très bien en boy-scout.

– Je n'ai jamais été boy-scout.

– Tandis que moi, fait-il, j'ai été enfant de chœur.

– Je te dis, tu as tout du curé. Eh bien, mes amis, je trouve que vous puez drôlement l'eau bénite, tous les deux!...

Elle se lève et va vers le casier à liqueurs.

– Voulez-vous boire quelque chose?

– Non merci, dis-je, vraiment.

– Et toi?

– Un petit scotch.

– Non seulement je ne suis pas baptisée... poursuit-elle en remplissant le verre.

Mais Vidal la coupe aussitôt :

– Tu sais qu'elle appartient à l'une des plus grandes familles de libres penseurs du centre de la France? Mais tu vois, Maud, l'irréligion telle qu'on la pratiquait chez toi, c'est encore une religion.

– Je sais très bien, dit-elle en revenant, mais j'ai le droit de préférer cette religion aux autres. Si mes parents étaient catholiques, peut-être que j'aurais fait comme toi, que je ne le serais plus. Tandis que moi, au moins, je suis fidèle.

Elle s'asseoit sur l'accoudoir du fauteuil de Vidal.

– On peut toujours être fidèle à rien, dit-il en prenant le verre.

– Ce n'est pas « rien ». C'est une façon plus libre d'envisager les problèmes. Avec beaucoup de principes, d'ailleurs, souvent même très stricts, mais où il n'entre aucun préjugé, aucune trace de...

– Ça va, on connaît le boniment.

– Ne sois pas grossier. Ça ne te va pas.

– Des filles comme toi me rendraient papiste. Je n'aime pas les gens sans problème.

75

– Parce que tu n'es pas normal. Tu devrais te faire psychanalyser.

– Idiote !

– D'ailleurs, j'ai mes problèmes. Mais de vrais problèmes… Si nous passions à table ?

Nous en sommes au dessert, mis en verve par quelques bouteilles de vin du pays. Nous parlons vite, fort, et nous nous coupons fréquemment la parole. La conversation est revenue sur le christianisme.

– Je comprends qu'on soit athée, dit Vidal : je le suis moi-même. Mais il y a quelque chose de fascinant dans le christianisme, et qu'il est impossible de ne pas reconnaître : c'est sa contradiction.

Maud fait une moue :

– Tu sais, je suis très imperméable à la dialectique.

– C'est ce qui fait la force d'un type comme Pascal. Tu as tout de même lu Pascal ?

– Oui : « l'homme est un roseau pensant »… « les deux infinis »… euh…

– « Le nez de Cléopatre »…

– Ce n'est certainement pas un de mes auteurs.

– Bon, je serai seul contre deux.

Elle se tourne vers moi :

– Pourquoi ? Vous n'avez pas lu Pascal ? Tu vois !…

– Si, dis-je. *Lu*, oui.

– Il hait Pascal, dit Vidal en tendant emphatiquement le doigt dans ma direction, parce que Pascal est sa mauvaise conscience. Parce que Pascal le vise, lui, faux chrétien.

– C'est vrai ? dit Maud.

– C'est le jésuitisme incarné !

– Laisse-le se défendre !

Je me lance dans une explication assez embarrassée :

– Je disais que je n'aimais pas Pascal, parce que… euh…

Pascal a une conception du christianisme très... très particulière – qui d'ailleurs, a été condamnée par l'Eglise.

– Pascal n'a pas été condamné, du moins les *Pensées*.

– Mais le jansénisme, si! Et puis Pascal n'est pas un saint.

– Très bien répondu, dit Maud.

Et, comme Vidal s'apprête à répliquer, elle le coupe :

– Laisse-le parler! On n'entend que toi! (Elle me fait un beau sourire) : Vous disiez?

– Rien. Qu'il y a d'autres façons que celle de Pascal de concevoir le christianisme. En tant que scientifique, j'ai un extrême respect pour Pascal. Mais, en tant que scientifique, cela me choque qu'il condamne la science.

– Il ne la condamne pas.

– A la fin de sa vie, si : « Toute la physique ne vaut pas une heure de peine ».

– Ce n'est pas vraiment une condamnation.

– Je m'exprime mal. Prenons un exemple. Bon : par exemple, maintenant, nous parlons et nous oublions ce que nous mangeons. Nous oublions cet excellent chanturgue. C'est la première fois que j'en bois.

– On ne le boit que dans les vieilles familles clermontoises, dit Vidal, gouailleur. Les vieilles familles catholiques et franc-maçonnes, ajoute-t-il à l'adresse de Maud qui essaie de le faire taire.

Je poursuis :

– Cet excellent chanturgue, Pascal, sans doute, a dû en boire, puisqu'il était Clermontois. Ce que je lui reproche, ce n'est pas de s'en être privé – je suis assez pour la privation, l'ascétisme, le carême, je suis contre la suppression du carême – c'est, lorsqu'il en buvait, de ne pas y avoir fait attention. Comme il était malade, il suivait un régime, et ne devait prendre que de bonnes choses, mais il ne se souvenait jamais de ce qu'il avait mangé.

– Oui, c'est sa sœur Gilberte qui raconte ça. Il n'a jamais dit : « Voilà qui est bon ! »

– Eh bien, moi je dis : voilà qui est bon ! Et ne pas reconnaître ce qui est bon, c'est un mal, chrétiennement parlant. Je dis que c'est un mal.

– Ton argument est quand même un peu mince !

– Pas mince du tout. C'est quelque chose de très, très important. Il y a autre chose qui m'a profondément choqué chez Pascal. Il a dit que le mariage était la condition la plus basse de la chrétienté !

– Je pense, moi aussi, dit Maud, que le mariage est une condition fort basse. Mais pas pour les mêmes raisons.

– Pascal a raison, dit Vidal. Tu as peut-être envie de te marier, moi aussi…

– Oh ! fait Maud.

– … Mais, dans l'ordre des sacrements, le mariage est au-dessous du sacerdoce.

– Je pensais justement à cette phrase, poursuis-je, l'autre jour que j'étais à la messe. Il y avait devant moi une fille…

Vidal me coupe :

– C'est vrai. Il faudra que je me décide à aller à la messe pour chercher des filles.

– Elles sont certainement moins moches, dit Maud, qu'à la cellule du Parti. (Elle se tourne vers moi) : Alors ? Et cette jolie fille ?

– Je n'ai pas dit qu'elle était jolie. Bon, admettons qu'elle l'était. D'ailleurs, je n'aurais pas dû dire une fille : une femme, une très jeune femme avec son mari.

– Ou son amant, dit Vidal.

– Arrête ! crie Maud.

Je proteste :

– Ils avaient des alliances.

Maud sourit :

– Vous y avez regardé de près !

Je reprends :

– Eh bien, je trouve que… euh… – c'est une impression difficile à communiquer…

Ils ont mis tous deux les coudes sur la table et me fixent avec ironie.

– … Je m'arrête, dis-je. Vous vous fichez de moi !

– Mais non, dit Maud, pas du tout.

– Je trouve ça très bien, dit Vidal, d'être obsédé par l'idée de mariage. C'est tout à fait de ton âge – de notre âge. Ce couple chrétien était sublime : c'est ce que tu veux dire ? La religion ajoute beaucoup aux femmes.

– Oui, c'est vrai, dis-je, tandis que Maud fait la moue. La religion ajoute à l'amour, mais l'amour aussi à la religion.

A ce moment, la porte s'entrouvre, poussée par la fille de Maud, Marie, huit ans. Elle demande à sa mère si elle peut voir les lumières intermittentes du sapin. Un peu agacée, Maud les fait fonctionner un moment, et raccompagne l'enfant dans sa chambre.

– Tu as vu ? Tu es contente ? Bon, allez, au lit maintenant ! Bonsoir tout le monde !

Dès qu'elles sont sorties, Vidal se lève et va vers la bibliothèque.

– Il doit bien y avoir un Pascal, ici. On a beau être francmaçon…

Il s'accroupit et découvre sur le rayon inférieur, une édition scolaire des *Pensées*. Il la feuillette. Je me suis levé et m'approche de lui.

– Pourrais-tu me dire, me demande-t-il, s'il y a une référence précise aux mathématiques dans le texte sur le *pari*. (Il lit) : « Partout où est l'infini et où il n'y a pas infinité de hasard de perte contre celui de gain, il n'y a point à balancer : il faut tout donner… et ainsi, quand on est forcé à jouer, il faut renoncer à la raison pour garder la vie », etc.

Il me tend le livre. J'y jette un coup d'œil.

– C'est exactement ça, « l'expérience mathématique », dis-je. Dans le cas de Pascal, elle est toujours infinie… A moins que la probabilité de salut ne soit nulle. Puisque l'infini multiplié par zéro égale zéro. Donc l'argument ne vaut rien pour quelqu'un qui est absolument incroyant.

– Mais, si tu crois tant soit peu, elle redevient infinie.

– Oui.

– Alors, tu dois parier?

– Oui, si je crois qu'il y a probabilité, et si je crois d'autre part que le gain est infini.

– C'est ce que tu crois, toi? Et pourtant, tu ne paries pas, tu ne hasardes pas, tu ne renonces à rien.

– Si, il y a des choses auxquelles je renonce.

– Pas au chanturgue!

La bonne est en train de desservir la table. Nous allons au fond de la pièce et nous installons dans les fauteuils.

– Le chanturgue n'est pas en jeu, dis-je. Pourquoi y renoncer? Au nom de quoi? Ce que je n'aime pas dans le « pari », c'est l'idée de donner en échange, d'acheter son billet comme à la loterie.

– Disons « choisir ». Il faut bien choisir entre le fini et l'infini.

– Quand je choisis le chanturgue, je ne le choisis pas contre Dieu. Le choix n'est pas là!

– Et les filles?

– Les « filles » peut-être, mais pas la Femme. Du moins en ce qui me concerne.

– Tu cours les filles.

– Non!

– Tu les courais autrefois.

– Mais non!

Maud vient d'entrer. Elle suit, amusée, la fin de notre conversation. Vidal la prend à témoin :

– Tu sais, Maud, quand je l'ai connu, c'était un remarquable coureur de filles, un spécialiste.

– Tu m'as connu quand j'avais dix ans !

– Je veux dire plutôt quand je t'ai perdu de vue, après ta sortie de l'Ecole.

– Tu racontes n'importe quoi !

– N'importe quoi ? Et Marie-Hélène ?

– Quelle mémoire ! Je n'ai aucune idée de ce qu'elle est devenue.

– Elle est entrée au couvent.

– Quoi ?... Idiot !

Maud, restée debout entre nous deux, intervient :

– Qui est cette Marie-Hélène ?

– C'était une de mes amies.

– Sa maîtresse, plus exactement.

Elle me dévisage :

– C'est vrai ?

– Je ne nie pas avoir eu des « maîtresses », pour employer sa terminologie…

– Parce qu'il y en a eu plusieurs ?

– Je ne vais pas vous raconter ma vie. Il n'est pas mon confesseur. J'ai trente-quatre ans et j'ai connu pas mal de filles. Je ne prétends pas me poser en exemple, du tout, du tout. Puis d'ailleurs, ça ne prouve rien.

Maud s'arrache à contre-cœur à notre débat et passe à la cuisine, chercher le café.

– Je ne veux rien prouver, mon cher, me rétorque Vidal d'un ton conciliant, tandis qu'elle s'éloigne.

– Si, je sais, dis-je, je te scandalise. J'ai eu des liaisons avec des filles que j'aimais et que je songeais à épouser. Mais je n'ai jamais couché avec une fille, comme ça. Si je ne l'ai pas fait, ce n'est pas pour des raisons morales, c'est parce que je n'en vois pas l'intérêt.

– Oui, mais supposons que tu te sois trouvé en voyage

avec une fille ravissante et que tu savais ne plus revoir. Il y a des circonstances dans lesquelles il est difficile de résister.

– Le destin – je ne veux pas dire Dieu – m'a toujours évité ces circonstances. Je n'ai jamais eu de chance pour les fredaines. Une malchance même incroyable.

Maud revient. Vidal, l'entendant arriver, élève la voix :

– Moi qui n'ai pas de chance en général, j'en ai eu beaucoup pour ce genre de choses. Une fois en Italie avec une Suédoise, une autre fois en Pologne, avec une Anglaise...

Maud pose le plateau sur une table basse et s'éloigne de nouveau.

– ... Ces deux nuits sont peut-être les plus beaux souvenirs que la vie m'ait laissés. Je suis très pour les amours de voyage, les amours de congrès. Là, au moins, il n'y a pas ce côté bourgeois, collant.

– Moi, au contraire, en principe, je suis contre. Mais toutefois, dans la mesure où ça ne m'est jamais arrivé...

– Mais ça peut t'arriver.

– Non !

– Enfin, soyons sérieux ! Au cas où ça t'arrive, si je comprends bien, tu marches ?

Maud revient avec la cafetière en main. Pendant que je réponds, elle verse le café dans les tasses.

– Non ! Je parlais pour autrefois. Tu es insensé. Tu m'obliges à penser à des choses qui me sont complètement sorties de l'esprit. J'ai peut-être couru les filles. Le passé est le passé.

– Mais si demain, si ce soir, une femme aussi belle que Maud, et riche de tempérament, te proposait, ou du moins te faisait sentir...

– Arrête ! crie Maud. Tu n'es pas drôle !

– Laisse-moi finir. Eh bien, si Maud...

– Il est complètement saoul ! dis-je. C'est le chanturgue. Vous ne croyez pas ?

Elle vient s'asseoir sur le divan, tout en face de moi, sa tasse à la main. Elle me regarde dans les yeux. Ses genoux touchent presque les miens.

– Répondez quand même, dit-elle enfin.

J'hésite, puis je me décide :

– Disons, autrefois, oui. Maintenant, non.

– Pourquoi ? dit Vidal.

– Je te l'ai dit : je me suis converti.

– Oh !

– La conversion, ça existe. Voir Pascal.

Il y a un silence. Nous buvons. Vidal pose sa tasse et reprend :

– Je suis peut-être indiscret, mais je me flatte d'avoir pas mal d'intuition. Cette conversion me paraît très, très louche. (Il se tourne vers Maud) : Je trouvais qu'il y avait quelque chose de bizarre dans son comportement. Il a des moments d'absence, de rêverie, comme s'il pensait à quelqu'un. Pas à quelque chose, à quelqu'un. Il serait amoureux que ça ne m'étonnerait pas.

Je m'esclaffe.

– Première nouvelle !

Maud, les yeux toujours braqués sur moi, s'enquiert.

– Elle est brune ou blonde ?

– Je crois qu'il les préfère blondes.

Elle insiste :

– Dites, quoi ! Ce n'est pas compromettant.

– Non ! vous dis-je.

– En échange, je vous raconterai ma vie.

Vidal ricane :

– Ça menace d'être long !

– On fera plusieurs séances.

Je commence à m'impatienter.

– Je ne connais personne, dis-je d'un ton rogue. Je n'aime personne. Un point c'est tout.

Mais Maud ne désarme pas pour autant :

– Elle est à Clermont?

– Non!

Vidal pointe le doigt vers moi.

– Il a dit « non »! Si elle n'est pas ici, c'est qu'elle existe.

Je hausse les épaules.

– J'ai dit « non » : qu'elle n'existait pas. Et puis, même si elle existait, c'est parfaitement mon droit de ne rien vous dire d'elle.

– Nous sommes méchants, dit Maud un peu désorientée par la violence de ma réaction.

– Non, dis-je, ça m'amuse. Ça m'amuse même plus que vous ne pensez.

Vidal s'est levé. Il va à la table à liqueurs et se verse une large rasade de cognac.

– Arrête de boire, lui crie Maud. Je n'ai pas envie de te ramener chez toi.

– Ce n'est pas toi qui me ramènerais, c'est lui.

Maud se lève à son tour.

– Mes chers amis, dit-elle, je vais vous faire une proposition. Comme je suis assez fatiguée, ces temps-ci, le médecin m'a dit de rester au lit le plus longtemps possible.

– Le médecin, dit Vidal, c'est toi?

– Evidemment!

Je fais mine de me lever. Du geste, elle m'intime l'ordre de rester assis.

– … Mais je ne vous mets pas à la porte. Restez. Si, restez, je le veux, je l'ordonne. Je n'ai pas du tout sommeil, et j'adore avoir des gens autour de mon lit.

– Et dedans? fait Vidal, d'une voix déjà un peu pâteuse.

Elle hausse les épaules :

– En tout cas, pas toi!… Vous verrez, nous serons très bien, comme au temps des Précieuses. C'est pourquoi je couche ici… J'ai horreur des chambres à coucher!

Elle se dirige vers la porte par où elle était sortie tout à l'heure, avec sa fille. Dès que nous sommes seuls, je me lève.

— De toute façon, je m'en vais, dis-je, j'ai sommeil.

— Ne me fais pas ce coup-là, dit Vidal.

— Partons, quoi! Elle veut dormir.

— Tu parles! C'est encore sa petite comédie. (Il boit une gorgée et prend un air mystérieux.) Tu verras : je crois qu'il y a quelque chose dans l'air.

— Je verrai quoi?

— Tu verras. Reste.

— Tu es saoul, dis-je impatienté. J'ai horreur d'être impoli : dès qu'elle revient, je m'en vais.

La porte s'ouvre, je me retourne.

— Pour le moment, dit Maud, j'avoue que je ne fais pas très marquise de Rambouillet.

Elle porte une espèce de chemise en flanelle écrue, très courte, découvrant ses cuisses.

Vidal sifflote :

— J'ai compris. Tu avais envie de nous montrer tes jambes.

— Exactement, dit-elle, en s'avançant vers le lit. Comme c'est mon seul moyen de séduction…

— Ton seul? N'exagère pas. Disons le principal.

— Je suis très exhibitionniste. Ça me prend par crises. Vous pouvez me regarder. Je ne montre rien que d'honnête.

— Je rirais bien que tu te casses la figure, dit Vidal, tandis qu'elle se met prestement au lit. C'est un truc de marin?

— Oui, un vrai, tout ce qu'il y a de plus vrai.

— C'est pratique. Ça tient chaud.

— De toute façon, je l'enlève pour dormir. Je dors toujours à poil. Je ne comprends pas comment on peut garder quelque chose sur soi qui se froisse et qui remonte quand vous vous retournez.

85

– Tu n'as qu'à avoir le sommeil paisible. Prends des calmants.

– C'est très mauvais pour la santé. Je n'en prescris que dans les cas désespérés. Pousse-toi un peu, dit-elle à Vidal qui est venu s'asseoir à l'extrémité du lit. Laisse-moi étendre mes jambes.

Il se renverse en arrière et palpe le corps de Maud, sous la fourrure.

– J'adore sentir tes orteils à travers la couverture. Ça te cale. Tu dois être mieux.

Je me rassois dans mon fauteuil. Maud se tourne vers moi.

– De quoi parlions-nous ?

– Des filles, dit Vidal. De ses filles.

– Ah oui ! Il devait nous raconter ses aventures.

– Non, lui dis-je, c'est vous !

Elle me regarde en hochant la tête.

– Vous savez que vous me scandalisez beaucoup.

– Moi ? C'est lui ! Il a toujours aimé dire des horreurs sur moi.

– Dis que je mens !

– Tu ne mens pas, mais…

– Vraiment, vous me choquez, dit Maud, m'interrompant. Je croyais qu'un chrétien devait rester chaste jusqu'au mariage.

– Je ne me pose pas en exemple, je vous dis !

– Et puis, dit Vidal avec condescendance, entre la théorie et la pratique…

– Je connais des garçons, poursuit-elle, qui n'ont jamais couché avec une fille.

– D'accord, dit-il, des chauves, des bossus.

– Pas forcément.

– Encore une fois, je ne me pose pas en exemple, dis-je avec une certaine impatience. D'abord, c'est le passé. Je ne tire aucune gloire de ces…

Elle éclate de rire :

— Ne montez pas sur vos grands chevaux! Je vous trouve au contraire très sympathique. J'aime votre franchise.

— Très, très relative, commente Vidal, presque couché maintenant sur l'épaule de Maud.

Je me détends un peu et consens à sourire :

— C'est vrai que je vous ai scandalisée? Ça m'ennuie que vous le disiez. Mon christianisme et mes aventures féminines, ça fait deux choses très différentes, contraires même, et qui sont en conflit.

— Mais, dit Vidal, qui coexistent chez le même individu.

— Coexistence plutôt belliqueuse, bien que... Je vais peut-être vous scandaliser encore une fois, tant pis! Courir les filles, ça ne vous éloigne pas plus de Dieu que, je ne sais pas, faire des mathématiques. Pascal, pour en revenir à lui, condamnait non seulement le bien manger, mais aussi, à la fin de sa vie, les mathématiques, qu'il avait pratiquées comme vous savez.

— Oui, précise Vidal : « La mathématique est inutile en sa profondeur. » C'est très vrai. Tu en conviens? Au fond, tu es plus pascalien que moi.

— Peut-être, après tout. Les mathématiques sont inutiles. Les mathématiques détournent de Dieu. Les mathématiques sont un passe-temps intellectuel, un divertissement comme un autre, pire qu'un autre.

— Pourquoi pire? demande Vidal.

— Parce que c'est purement abstrait et que ça n'a plus rien d'humain.

Vidal, toujours vautré sur le lit, s'exclame :

— Tandis que les femmes!... J'ai envie d'écrire un article sur « Pascal et les femmes ». Pascal a beaucoup réfléchi sur les femmes, même s'il est vrai que le *Discours sur les Passions de l'Amour* est apocryphe et qu'il n'a pas « connu » de femmes – connu au sens biblique du terme...

Maud l'a déjà coupé au milieu de sa tirade.

– Tu ne peux pas ouvrir la fenêtre, s'il te plaît? Il y a trop de fumée ici.

Il s'est levé. Il va à la fenêtre et l'entrouvre.

– Il neige!

Je me lève et vais voir. Maud se lève à son tour. La neige tombe en légers flocons.

– Ça fait faux, dit Vidal, ça fait toc. Je n'aime pas tellement la neige. Ça fait gosse. J'ai horreur de tout ce qui rappelle l'enfance.

– Parce que, dit Maud, tu as un esprit profondément retors.

– Allons, va te coucher. Tu vas prendre froid, dit-il, en lui donnant une tape sur les cuisses.

– Aïe! crie-t-elle. Brute! Va te coucher, toi, plutôt.

– Il est tard, dis-je, je vais rentrer.

Vidal referme la fenêtre et tire les rideaux. Maud regagne son lit. Je reviens vers le fond de la pièce.

– Où habitez-vous? me demande-t-elle.

– A Ceyrat. Mais j'ai ma voiture.

– Vous allez vous tuer, avec cette neige.

– Ce n'est pas un peu de neige qui m'effraie!

– Si, c'est quand elle tombe qu'elle est dangereuse. J'ai un ami qui s'est tué comme ça. Cet accident m'a traumatisée. Mais, vous savez? Vous pouvez coucher dans la chambre à côté. Acceptez, quoi! Vous m'empêcheriez de dormir.

Je ne réponds pas. Je regarde Vidal : il a l'air songeur. Maud nous fixe l'un et l'autre alternativement. Vidal brusquement rompt le silence :

– J'y pense! J'ai laissé ma fenêtre ouverte. La neige va entrer. Il faut que je parte.

Il va vers Maud, se penche et l'embrasse.

– Bon, je te raccompagne, dis-je.

– Non, non. Tu peux rester…

Il me pousse si violemment que je perds l'équilibre et tombe dans mon fauteuil.

–… Là, très bien. Au revoir. Au revoir Maud. On se téléphone ?

– Hep ! lui crie-t-elle, comme il est déjà à la porte. Tu n'oublies pas demain ?

– Ah oui, c'est vrai. C'est à quelle heure ?

– Midi.

– Et que fais-tu de ta fille ?

– Elle voit son père.

– Vous viendrez aussi ? me dit Maud, tandis que Vidal enfile son manteau.

– De quoi s'agit-il ?

– Une promenade avec des amis, du côté des Puys. Nous déjeunerons dans une auberge. S'il neige, ce sera encore mieux.

Vidal sort, comme à regret, semble-t-il. Je me sens très gêné. Maud, songeuse, les traits un peu las, ne paraît pas avoir envie de poursuivre la conversation.

– Franchement, dis-je, j'ai l'habitude de la neige, j'ai l'habitude de la montagne. Je ne risque absolument rien.

– Si ! Cette neige fondue est très mauvaise…

– Mais non ! Je vous laisse dormir, je m'en vais.

Je me lève et viens vers elle.

– Restez un instant, s'il vous plaît.

– Vous y tenez vraiment ?

– Bon, dit-elle, explosant soudain. Eh bien, partez ! Rentrez chez vous ! Au revoir !

Je lui serre la main et m'éloigne en reculant.

– Au revoir, je suis confus ! On m'avait dit – ne vous vexez pas – que les gens, ici, aimaient à se faire prier.

Elle éclate de rire :

– Oui, c'est un peu vrai. Mais pour l'instant, l'Auvergnat

c'est vous. Moi, quand je dis oui, c'est oui. Et quand c'est non, c'est non. Si je veux qu'on parte, je dis « partez ».

– Vous avez dit « partez » ! dis-je avec un rien de provocation dans le regard.

Et je ne bouge pas. Je continue à la scruter. Son air est amical, presque suppliant. Je souris. Elle sourit. Je me rassieds.

– Je reste un instant, dis-je.

– Décidément, fait-elle, du ton le plus sérieux, vous me choquez beaucoup.

– Oui, vous l'avez déjà dit.

– C'est vrai. Je n'ai jamais rencontré quelqu'un qui me scandalise autant que vous. La religion m'a toujours laissée indifférente. Je ne suis ni pour ni contre, mais ce qui m'empêcherait de la prendre au sérieux, ce sont des gens comme vous. Au fond, ce qui vous importe, c'est votre respectabilité. Rester dans la chambre d'une femme après minuit, ça c'est épouvantable. Mais que vous puissiez me faire plaisir en me tenant compagnie un soir où je me sens seule, et trouver l'occasion d'établir un contact un peu moins conventionnel, même si nous ne devions jamais nous revoir, ça ne vous viendrait jamais à l'esprit. Ce que je trouve assez stupide et très peu chrétien.

– La religion n'a rien à voir là-dedans. Je pensais seulement que vous aviez sommeil.

– Vous le pensez toujours ?

– Non, puisque je suis là.

Il y a un silence. Je souris. Elle sourit et reprend :

– Vous savez, ce qui me chiffonne le plus chez vous, c'est que vous vous dérobez. Vous ne prenez pas vos responsabilités. Vous êtes un chrétien honteux, doublé d'un don Juan honteux. C'est bien le comble !

– C'est faux ! J'ai aimé, c'est très différent. J'ai aimé deux ou trois femmes dans ma vie – enfin, disons trois ou quatre.

J'ai vécu avec elles des périodes très longues, de plusieurs années. Je les ai aimées – pas follement peut-être… oh ! si tout de même assez follement. Et il y a eu réciprocité. Je ne dis pas ça pour me vanter.

– Pas de fausse modestie !

Je me suis levé. J'arpente la pièce et vais m'adosser à une commode :

– Non. Je dis ça, parce que je ne pense pas qu'il y ait vraiment d'amour sans réciprocité – et c'est ça qui me ferait croire à une certaine prédestination. C'est très bien que ça ait été, et c'est très bien que ça ait raté.

– C'est vous qui avez rompu ?

– Non. Ni elles. Mais les circonstances.

– Il aurait fallu les surmonter !

– Des circonstances qui ne pouvaient pas être surmontées. Je sais : on peut toujours. Mais ç'aurait été en dépit de toute raison, complètement fou, idiot. Non, ce n'était pas possible. Il fallait que ça ne soit pas possible. Il *valait* mieux que ça ne le soit pas. Vous voyez ?

– Je comprends très bien. Ça me paraît très humain, mais très peu chrétien.

– Oui, pour en revenir à ce que je disais, chrétien ou pas, peu importe. Mettons le christianisme entre parenthèses : je ne me place pas de ce point de vue. Les femmes m'ont beaucoup apporté. Apporté moralement. Quand je dis « les femmes », c'est un peu…

– … vulgaire.

– Oui. Chaque fois que j'ai connu une fille – de toute façon, ça a toujours été un cas particulier ; ce serait idiot de parler en général – je me suis trouvé dans une situation telle que cela m'a découvert un problème moral que j'ignorais, auquel je n'avais pas eu à faire face concrètement. J'ai eu à prendre une attitude qui, pour moi, a été bénéfique, qui m'a sorti de ma léthargie morale.

— Vous pouviez très bien assumer le côté moral, et laisser la chose physique.

— Oui, mais le côté moral ne m'apparaissait que… n'existait même que si… – oui, bien sûr, on peut toujours tout – mais physique et moral sont indissociables. Il faut quand même voir les choses comme elles sont!

— Ce n'était peut-être qu'un piège du démon?

— Eh bien, j'y serais tombé! D'une certaine façon, oui, j'y suis tombé. Si je n'y étais pas tombé, j'aurais été un saint.

— Et vous ne voulez pas être un saint?

— Non, pas du tout!

— Oh! Qu'est-ce qu'il ne faut pas entendre! Je croyais que tout chrétien devait aspirer à la sainteté.

— Quand je dis « je ne veux pas », je veux dire « je ne peux pas ».

— Quel défaitisme! Et la Grâce?

— Je demande à la Grâce de me faire entrevoir la possibilité de l'être. (Je marche dans la pièce.) Que j'aie tort ou raison, je pense que, tout le monde ne pouvant être un saint, il faut des gens qui ne le soient pas, et que je suis vraisemblablement parmi ceux-là, avec ma nature, mes aspirations, mes possibilités… mais que, dans ma médiocrité, mon juste milieu, ma tiédeur – que Dieu vomit, je sais – je peux atteindre à une sorte, sinon de plénitude, du moins à une certaine justesse, dans le sens où l'Evangile dit le « Juste ». Je suis dans le « siècle ». Le siècle est admis par la religion. Contrairement à ce que vous pensez, je ne suis pas du tout janséniste.

— Je ne l'ai jamais pensé.

— Vous ou Vidal!

— Il dit n'importe quoi!

— Pour me faire marcher. Je ne sais pas ce qu'il avait ce soir. Il était complètement saoul. C'est la première fois que je le vois comme ça.

– Vous vous connaissez bien?

Je m'approche de Maud pour lui offrir et lui allumer une cigarette.

– Nous ne nous étions pas vus depuis quatorze ans. Cela dit, nous avons été très liés, autrefois, même après le lycée.

– Vous n'avez pas été très gentil ce soir.

Je me suis assis à l'extrémité du lit. Je m'étends en arrière sur les coudes.

– Pas gentil?

– Moi aussi je suis méchante, très méchante. Le pauvre garçon ne dormira pas cette nuit, de nous savoir ensemble.

– Mais c'est lui qui a voulu partir!

– Oui, par bravade! Que vous êtes bête, parfois! Il ne vous a pas dit qu'il était amoureux de moi?

– Non, il m'a dit qu'il vous estimait beaucoup. Et qu'il avait pour vous une immense amitié.

– C'est un garçon très discret. Un type très bien, d'ailleurs, quoiqu'il manque parfois d'humour – d'humour dans sa vie, je veux dire… Je sais que je le fais souffrir, mais je n'y peux rien. Ce n'est pas du tout mon genre d'homme. J'ai été assez idiote pour coucher avec lui, un jour, comme ça, par désœuvrement. Je suis très difficile en ce qui concerne les hommes, vous savez. Ce n'est pas seulement une question physique : il est assez intelligent pour le comprendre. Je sais très bien pourquoi il vous a amené. Pour m'éprouver? Je ne pense pas. Plutôt pour avoir un prétexte de me mépriser, de me haïr. C'est encore un de ces partisans de la politique du pire. Bon, bref, passons. Où en étions-nous?

Je m'allonge sur le lit dans sa direction. Nos têtes sont à la même hauteur et se font face.

– Vous n'avez pas sommeil? dis-je.

– Pas du tout et vous?

Je continue à la fixer :

– Non. Mais vous, vraiment?

– Si j'avais sommeil, je vous le dirais. Il y a longtemps que je n'ai pas parlé comme ça avec quelqu'un. Ça me fait du bien.

Je ne réponds pas. Maud semble attendre que je me décide à parler, ou que je risque un geste. Mais je demeure immobile et impassible.

– Quand même, dit-elle enfin, pour rompre un silence qui commence à devenir oppressant, vous me paraissez terriblement tortueux.

– Tortueux?

– Je croyais que, pour un chrétien, on est jugé selon ses actes, et vous n'avez pas l'air d'y attacher d'importance.

– Aux actes? Moi si, énormément. Mais pour moi, ce n'est pas un acte particulier qui compte. C'est la vie dans son ensemble…

Je recule et reprends ma place à l'extrémité du lit. Je poursuis :

– … La vie est une, elle forme un bloc. Je veux dire que les choses ne se sont jamais posées pour moi en termes de choix. Je ne me suis jamais dit : « Dois-je coucher avec une fille, ou ne dois-je pas coucher? » J'ai seulement fait un choix à l'avance, un choix global d'une certaine façon de vivre.

Maud me demande de lui apporter un verre d'eau.

– S'il y a quelque chose, dis-je en me levant, que je n'aime pas dans l'Eglise, et qui d'ailleurs disparaît, c'est la comptabilité des actes, des péchés ou des bonnes actions. Ce qu'il faut rechercher, c'est la pureté du cœur. Quand on aime vraiment une fille, on n'a pas envie de coucher avec une autre…

J'apporte le verre à Maud et me rassois dans le fauteuil. Elle boit une gorgée, puis sourit.

– … Il n'y a pas de problème. Pourquoi riez-vous?

– Pour rien, dit-elle. Alors, c'est vrai ?

– Quoi.

– Vous êtes amoureux ?

– Amoureux ? De qui ?

– Je ne sais pas : de la blonde, l'unique. Vous l'avez trouvée ?

– Je vous ai dit non.

– Ne faites pas de cachotteries. Vous voulez vous marier ?

– Oui, comme tout le monde.

– Un peu plus que tout le monde. Allez, avouez !

– Non ! Je ne sais pas quelle idée vous prend de vouloir me marier à toute force !

– J'ai peut-être l'âme d'une marieuse. Ce genre de femmes existe.

– Oui, je les fuis.

– Comment vous marierez-vous, alors ?

– Je ne sais pas : par petites annonces : « Ingénieur, trente-quatre ans, catholique, un mètre soixante-douze… »

– « … physique agréable, possédant voiture, cherche jeune fille blonde, catholique… pratiquante. »

– Après tout, pourquoi pas ? Vous me donnez une idée. Il y a beaucoup de gens qui se marient comme ça… Je plaisante. Je ne suis pas pressé.

– Evidemment, pour faire les quatre cents coups !

– Ah non, ça, pas du tout !

– Si vous trouviez celle que vous cherchez aujourd'hui, vous vous marieriez tout de suite et vous jureriez de lui être fidèle pour la vie ?

– Absolument.

– Vous êtes sûr que vous serez fidèle à votre femme ?

– Ben, évidemment !

– Et si elle vous trompe ?

– Je pense que, si elle m'aime, elle ne me trompera pas.

– L'amour, ce n'est pas éternel !

Je me lève et vais m'asseoir de nouveau à l'extrémité du lit.

– S'il y a quelque chose que je ne comprends pas, dis-je, c'est l'infidélité. Ne serait-ce que par amour-propre. Je ne peux pas dire blanc, après avoir dit noir. Si je choisis une femme pour ma femme, c'est que je l'aime, d'un amour qui résiste au temps. Si je ne l'aimais plus, je me mépriserais.

– Effectivement, je vois là beaucoup d'amour-propre.

– J'ai dit : ne serait-ce que par amour-propre.

– Mais c'est surtout par amour-propre... Alors, vous n'admettez pas le divorce ?

– Non.

– Donc, vous me damnez sans rémission ?

– Pas du tout. Vous n'êtes pas catholique, et je respecte toutes les religions, même celle de ceux qui n'en ont pas. Ce que je dis vaut pour moi : c'est tout. Pardonnez-moi, si je vous ai blessée.

– Vous ne m'avez pas blessée du tout.

Elle se redresse dans le lit ; le buste droit, les genoux contre sa poitrine.

– Pourquoi avez-vous divorcé ? dis-je après un silence.

– Je ne sais pas... Si, je sais très bien. Nous ne nous entendions pas. Nous nous en sommes aperçus très vite. Simple question de tempérament.

– C'était peut-être quelque chose que vous auriez pu surmonter, je ne sais pas...

– Mon mari était quelqu'un de très bien, à tous points de vue. C'est l'homme que j'estimerai toujours le plus. Mais il m'énervait, un énervement profond.

– Il vous énervait comment ? Quelqu'un dans mon genre ?

– Ah non ! Vous, vous ne m'énervez pas ! Avec vous l'idée de vous épouser ne me serait jamais venue à l'esprit, même au temps de ma plus folle jeunesse.

– Mais vous avez vécu ensemble, vous aviez eu une fille.

– Et alors ? Vous croyez que c'est drôle pour un enfant d'avoir des parents qui ne s'accordent plus ? Puis il y avait autre chose... Vous tenez absolument à ce que je vous raconte ma vie ? J'avais un amant, et mon mari une maîtresse. Ce qui m'amuse, c'est que c'était une fille un peu dans votre genre, très morale, catholique... pas hypocrite ni intéressée, très sincère. N'empêche que je la détestais comme il n'était pas possible. Je crois qu'elle était folle de lui. C'est un genre d'hommes qui rend les filles folles. J'ai été folle, moi aussi. D'ailleurs, j'ai tout fait pour qu'il rompe. Ça a été ma seule bonne action. Mais je ne crois pas qu'elle serait allée jusqu'à l'épouser. C'est pourquoi vous m'avez amusée, tout à l'heure, quand vous m'avez parlé de circonstances insurmontables. Pour elle aussi, je crois.

– Et votre... amant ?

– Eh bien là – ce qui vous prouve que, moi, je n'ai pas de chance, et que, chaque fois que je peux réussir quelque chose de bien, ça rate – je suis sûre que j'avais trouvé l'homme de ma vie. C'était quelqu'un qui me plaisait à tous points de vue, et à qui je plaisais. Un médecin, lui aussi, un homme très brillant, mais aimant beaucoup plus la vie, follement gai. Je n'ai jamais connu quelqu'un dont la compagnie, la présence, soit plus agréable, plus joyeuse... Et alors, bêtement, il est mort dans un accident d'auto. Sa voiture a dérapé sur le verglas. C'est ça le destin...

Un silence se fait. Je vais à la fenêtre. Je regarde la neige.

– Ça tombe encore ?

– Oui, dis-je.

Je reviens lentement vers le lit.

– Ben voilà, poursuit-elle. C'est passé ! Il y a un an de cela. Ce qui est fait est fait. Ça vous rend tout songeur ?

– Non. Pardonnez-moi, si j'ai parlé un peu légèrement. J'ai la détestable habitude de ne voir les choses que de mon petit point de vue.

– Non, non : votre point de vue m'intéresse. Sinon, je vous aurais déjà dit bonsoir.

Je regarde ma montre :

– Bon, il est tard. Où est cette chambre?

– Nulle part.

– Comment! dis-je, interloqué. Il n'y a pas d'autres pièces?

– Si. Mon cabinet, le salon d'attente, la chambre de ma fille et celle de la bonne, espagnole et très prude.

– Mais… Vidal le savait?

– Bien sûr. C'est pourquoi il est parti furieux! Ne faites pas le gamin. Etendez-vous à côté de moi, sur la couverture, si vous voulez, ou dans les draps, si je ne vous répugne pas trop.

– Je peux rester dans le fauteuil.

– Vous attraperez des courbatures. Vous avez peur? De moi? De vous? Je vous jure de ne pas vous effleurer. Et je vous croyais très maître de vous-même!

– Vous n'auriez pas une couverture?

– Si, dans le placard, en bas.

J'ouvre le placard et prends la couverture, tandis que Maud ôte sa chemise de marin et se glisse sous les draps jusqu'au cou. Je retire mes chaussures, ma veste et ma cravate. J'enroule la couverture autour de moi, m'assieds dans le fauteuil, les pieds sur la table basse. Maud a les yeux ouverts et me regarde ironiquement.

I-di-ot! dit-elle à voix très basse, de sorte que je comprends au seul mouvement des lèvres.

Je me lève brusquement et vais m'allonger à côté d'elle, toujours enveloppé dans ma couverture.

– Vous aurez froid.

– Je verrai bien, dis-je. Bonsoir !

Elle éteint la lumière.

Le jour commence à poindre. Maud a la tête presque entièrement cachée par le drap. On distingue nettement mon visage, éclairé par un reflet de l'aube. Je me réveille, je m'assois, puis je me glisse résolument sous le couvre-lit de fourrure. Maud a bougé. Elle tourne sur elle-même et se colle contre moi. Elle m'enlace. Sa main caresse mon dos. On entend nos respirations haletantes… Brusquement, je me dégage, et me redresse à demi :

– Non ! Ecoutez…

Non moins vivement, Maud se redresse à son tour, rejette rageusement les couvertures, jaillit, nue, hors du lit et se dirige en courant vers la porte de la salle de bains. Au moment où elle met la main sur la poignée, je l'ai rejointe. Je l'enlace.

– Maud !

– Non ! j'aime les gens qui savent ce qu'ils veulent !

Elle se dégage, entre dans la salle de bains et claque la porte derrière elle. J'entends couler l'eau de la douche. Je me rhabille. Au bout de quelques instants, Maud revient, vêtue d'un peignoir de bain en tissu éponge. Je suis en train de me diriger vers la porte d'entrée.

– Vous partiez sans me dire au revoir ?

– J'allais prendre mon manteau, dis-je. Ne me raccompagnez pas. Vous allez attraper froid.

Elle ne m'écoute pas et m'accompagne jusqu'au vestibule.

– Vous venez cet après-midi ? dit-elle, tandis que j'enfile mon manteau.

Je ne réponds pas.

– … Venez. Vidal jaserait… Venez, soyez chic.

– Vous y tenez vraiment ?

– Nous ne serons pas seuls. Il y aura une fille qui peut-être vous plaira… Une blonde !

– Eh bien, je tâcherai. Au revoir.

Je lui serre la main et sors.

Dehors, le froid, la blancheur de la neige, loin de me réconforter, me rendirent à moi-même et à ma honte d'avoir manqué du courage soit de refuser franchement l'occasion, soit, ayant commencé, d'aller jusqu'au bout. Mais j'ai dit que je ne m'étendrais pas sur les raisons de ma conduite, à supposer qu'elles me fussent tout à fait claires à moi-même. Une chose était sûre : je n'oserais plus jamais affronter Maud. Elle penserait, dirait de moi ce qu'elle voudrait : peu m'importait. Je décidai de ne pas aller au rendez-vous et rentrai à Ceyrat, sans trop de difficultés, par la route enneigée.

Mais, à peine arrivé, j'avais déjà changé d'avis. Le souvenir de ma nuit m'obsédait de plus en plus fortement et menaçait d'être tenace. Je me dis que la meilleure façon de l'effacer était de revoir Maud au plus vite et de lui parler comme si rien ne s'était passé.

Je pris une douche, me rasai, m'habillai pour l'excursion et redescendis en ville. Quand j'arrivai place de Jaude, j'avais un bon quart d'heure d'avance. J'entrai dans un café du boulevard Desaix et m'assis face à la vitre. Clermont, sous la neige, en cette fin de matinée, offrait un visage tout différent de celui que je lui connaissais. Mais ce n'était plus la ville que je sentais étrangère : je m'étais introduit dans un cercle, j'étais entré dans la vie de quelqu'un. Non, c'était moi qui ne me sentais plus moi-même, ou, plus exactement, me sentais disponible à n'importe quoi, sans idées, sans principes, sans caractère, sans volonté, sans morale, sans rien…

Je restai un bon moment pensif, les coudes sur la table,

la tête entre les poings. Tout à coup, quelqu'un me tape sur l'épaule. C'était un de mes collègues de l'usine. Je sursaute et me lève quasi automatiquement.

– Excusez-moi, dit-il. Je vous ai réveillé ?

– Mais non ! Bonjour, comment allez-vous ?

– Vous venez skier au Mont-Dore avec moi ? Je pars dans une demi-heure.

– Euh ! Non, dis-je, bafouillant un peu, j'ai… j'ai rendez-vous avec des…

Je n'achève pas. Oui, c'est « elle », c'est Françoise, qui passe sur son solex devant la vitre du café. Elle descend vers la place. Je ne réfléchis pas.

– Excusez-moi, dis-je.

Et, laissant coi mon interlocuteur, je bondis au dehors, sans prendre le temps de remettre ma canadienne. Je dévale la rue en courant, traverse la place jusqu'au terre-plein où Françoise est en train de se garer. Arrivé à quelques mètres d'elle je ralentis et m'avance au pas. Elle se retourne. Je parle aussitôt :

– Je sais qu'il faudrait trouver un prétexte, mais un prétexte est toujours idiot. Comment faut-il s'y prendre pour faire votre connaissance ?

Elle me regarde, l'air interrogateur, sans hostilité, mais sans rien faire pour faciliter ma tâche. Brusquement, elle sourit et répond.

– Vous avez l'air de le savoir mieux que moi !

– Non ! Sinon je ne vous aurais pas suivi comme ça, en dépit de tous mes principes.

– C'est très mal de faire des entorses à ses principes !

– J'en fais quelquefois. Et vous ?

– Oui, mais je le regrette.

– Moi, je ne regrette rien. Quand j'enfreins mes principes, c'est que ça en vaut la peine. D'ailleurs, je n'ai pas de principes. Du moins sur…

– … la façon de faire connaissance !

Je la sens plus étonnée que choquée par mon accostage brutal. J'entends me le faire pardonner tout à fait.

– Oui, dis-je, je trouve que ce serait bête de rater la connaissance de quelqu'un pour une question de principes.

– Reste à savoir si la chose en vaut la peine.

– On verra bien !…

J'ai repris mon souffle. Je suis en chandail et le froid vif me transperce. Ma timidité revient tout d'un coup. Je ne trouve plus rien à dire. C'est elle qui rompt le silence.

– En tout cas, vous n'êtes pas quelqu'un qui semble compter sur le hasard !

– Au contraire, ma vie n'est faite que de hasards.

– Je n'en ai pas l'impression.

Pour me donner contenance, je regarde le vélosolex :

– C'est dangereux cet engin, avec ce temps-là.

– J'ai l'habitude. De toute façon, je ne m'en sers qu'en ville. Je rentre chez moi par le car.

– Où habitez-vous ?

– A Sauzet, au-dessus de Ceyrat.

– On se voit quand ?

– Quand on se rencontrera.

– On ne se rencontre jamais.

– Si, tout de même, dit-elle en riant.

– Demain, voulez-vous… Je ne vous ai pas vue à la messe de minuit.

– Je n'y suis pas allée. J'habite trop loin.

– Bon. Et ensuite nous déjeunerons ensemble. Vous voulez ?

– Oui, peut-être, nous verrons. Au revoir ! Dépêchez-vous, vous allez prendre froid !

Elle s'éloigne et je rejoins le café en courant.

Maud, emmitouflée de fourrures, m'accueillit très détendue, comme si de rien n'était. Vidal était venu en compagnie d'une fille blonde, assez jolie, à laquelle il entreprit de faire une cour trop poussée pour être sincère. Quant à moi, mon bonheur tout récent m'avait donné une assurance, un entrain, une gaîté dont mes compagnons étaient loin de soupçonner la cause. Mais peut-être n'y attachèrent-ils pas d'importance, occupés qu'ils étaient par leurs problèmes. Nous allâmes déjeuner dans une auberge, au pied des montagnes et, l'après-midi, fîmes l'ascension du puy de Pariou. Au retour, Maud prit les devants et m'entraîna à sa suite, laissant les deux autres batifoler sur les pentes. Elle ne dit mot durant toute la descente, que la neige fraîche rendait assez difficile.

– Heureusement que vous êtes venu, fit-elle enfin, quand nous fûmes arrivés en vue des voitures. J'aurais fait belle figure, toute seule au milieu d'eux !

– Vous pensiez que je viendrais ?

– Pourquoi pas ?

– J'ai failli ne pas venir. Mais je tiens mes promesses.

– Et vous regrettez d'être venu ?

– Non, pas du tout. Je ne me suis jamais tant amusé.

– C'est vrai ?

– Oui. Vous le sentez bien !

Je la prends par les épaules et l'attire contre moi – le froid vif ôte toute sensualité à mon étreinte.

Elle reste un moment blottie, puis renverse la tête en arrière. De mes lèvres, j'effleure les siennes.

– C'est fou, dis-je, ce que je suis bien avec vous !

– Vous seriez mieux avec la blonde.

– Qui ? Celle de Vidal ? Non. Surtout pas.

– Entre deux maux, on choisit le moindre !

Je dépose un nouveau baiser, très bref, sur ses lèvres.

– Vos lèvres sont froides, dit-elle.

– Les vôtres aussi. J'aime bien.

– C'est dans le ton de vos sentiments.

– Oui. Je veux dire : ce baiser est purement amical.

– S'il l'était !

– Vous ne croyez pas à mon amitié ? dis-je en continuant à la serrer.

– Je ne vous connais pas !

– C'est vrai. Il n'y a pas vingt-quatre heures que nous sommes ensemble, et encore avec interruption, et il me semble que je vous connais depuis une éternité. Pas vous ?

– C'est possible ! Nous en avons été très vite aux confidences.

– Je ne sais pas ce qui m'arrive depuis quelques jours. Je ne m'arrête pas de parler. J'ai besoin de m'épancher.

– Faut vous marier !

– Avec qui ?

– Votre blonde. La vôtre.

– Elle n'existe pas.

– Vraiment ?

Je l'ai lâchée et nous marchons côte à côte.

– Et si je vous épousais ? dis-je. Vous voulez bien ?

Elle fait une moue :

– Je ne réponds pas aux conditions.

– Quelles conditions ?

– Blonde, catholique.

– Qui vous a dit blonde ?

– Vidal, je crois.

– Il n'y connaît rien.

– Catholique, en tout cas.

– Ça, oui !

– Vous voyez !

– Je peux vous convertir.

– Vous auriez du mal. Surtout vous !

Je la reprends par les épaules et me plaque contre son dos :

– Alors, c'est oui? Regardez comme nous allons bien ensemble. Nous sommes parfaitement à l'aise, tous les deux.

– Pourquoi pas? Vous valez bien Vidal!

– Mais vous ne l'épouserez pas?

– Dieu m'en garde! Pourtant je n'en suis pas à une bêtise près.

– Il s'est résigné, on dirait.

– Il faut bien. Je me demande quelle mouche l'a piqué hier. Au fond, c'est pour se défendre contre lui-même qu'il vous a jeté dans mes bras.

Je la serre fort et l'embrasse dans le cou, par-dessus le col de son caban :

– Mais je ne suis pas « dans » vos bras!

– Vous l'avez guéri, dit-elle, poursuivant son idée. Comme ça votre conscience est tranquille.

– Elle l'est de toute façon.

– Hum! Hum!

Nous rentrâmes à la nuit tombante. Vidal et sa blonde s'en allèrent de leur côté, et Maud me proposa de dîner avec elle. J'acceptai, à condition de partir tôt. Je l'accompagnai au marché – c'était le jour de sortie de la bonne – et l'aidai à préparer le repas. Pendant que nous étions à la cuisine, le téléphone sonna.

– Vous savez qui c'était? dit-elle en revenant. Mon mari. Il est vraiment très gentil. Il vient de m'obtenir un cabinet à Toulouse, une affaire très intéressante… Je vous ai dit que j'allais quitter Clermont?

– Oui, je crois. C'est pour quand?

– Pour plus tôt que je ne pensais. Dans un mois peut-être. Vous ne trouvez pas que c'est gentil de sa part?

– De la part de votre mari?

– De mon ex-mari. C'est un homme très bien. C'est

dommage que nous n'ayons pas pu nous entendre. Il était de passage à Clermont pour affaires et pour voir la petite.

– Il est remarié?

– Non. Pourquoi me demandez-vous ça?

– Comme ça! Alors, vous allez me quitter?

– Eh bien oui!

Elle me tournait le dos, achevant de hacher les légumes, pendant que j'allumais le gaz. Je m'approchai tout près d'elle.

– Vous savez à quoi je pense? dis-je en lui effleurant les cheveux du bout du doigt. Ça fait vingt-quatre heures que nous sommes ensemble, un jour entier.

– Même pas un jour! Vous m'avez fait une infidélité ce matin.

Je restai un instant songeur, puis je dis à mi-voix :

– C'est curieux comme je n'aime pas quitter les gens. Je suis fidèle, même à vous. Je ne regrette pas d'avoir connu les femmes que j'ai connues. Je ne peux pas les oublier, je ne peux pas les renier. C'est pourquoi, dans l'absolu, il ne faudrait pas avoir à oublier. Il faudrait n'avoir aimé qu'une seule fille. Et aucune autre, même platoniquement.

– Surtout pas platoniquement.

Je brodai sur ce thème pendant tout le dîner, qui fut bref. Maud s'ingéniait à me pousser dans mes retranchements, et je me défendais tant bien que mal à coup de paradoxes :

– Grâce à vous, j'ai fait un pas sur le chemin de la sainteté. Je vous l'ai dit : les femmes ont toujours contribué à mon progrès moral.

– Même dans les bordels de Vera-Cruz.

– Je n'ai jamais été au bordel, ni ici, ni à Vera-Cruz, ni à Valparaiso.

– Valparaiso, je voulais dire. Peu importe. Ça vous aurait fait du bien physiquement et moralement.

– Vous croyez?

– Idiot! Vous voyez, ce que je vous reproche, c'est votre manque de spontanéité.

– Je vous ouvre mon cœur, qu'est-ce qu'il vous faut?

– Je ne crois pas beaucoup à votre façon d'aimer sous conditions.

– J'ai dit qu'il ne fallait aimer qu'une seule femme. Je ne vois pas là de condition.

– C'est pas ça! Je parle de votre façon de calculer, de prévoir, de classer. La condition *sine qua non*, c'est que ma femme soit catholique. L'amour vient après.

– Pas du tout. Je pense seulement qu'il est plus facile d'aimer quand il y a une communauté d'idées. Vous, par exemple, je pourrais vous épouser. Ce qui manque, c'est l'amour.

– Merci.

– Amour de votre part, non moins que de la mienne.

– Vraiment, vous m'épouseriez?

– Vous êtes mariée religieusement?

– Non.

– Vous voyez : pour l'Eglise, ça ne compte pas. Nous pourrions nous épouser en grande pompe. Personnellement, ça me choquerait un peu, mais je ne vois aucune raison d'être plus papiste que le pape.

– Votre jésuitisme m'amuse.

– Alors, je ne suis pas janséniste?

– Je n'en ai pas l'impression.

– Tant mieux, les jansénistes sont tristes!…

A neuf heures et demie, comme convenu, je pris congé d'elle.

– Au fond, vous avez le caractère gai, dit-elle tandis que j'enfilais ma canadienne. A vous voir, je ne m'en serais pas doutée.

– Oui c'est vrai : avec vous, je suis très gai.

– Et avec les autres?

– Sinistre! Vous ne me croyez pas? Si je suis gai avec vous, c'est que je sais que nous n'allons plus nous revoir.

– Ça, c'est la meilleure!

– Je veux dire que l'idée d'un avenir ne se présente pas, en ce qui nous concerne, et c'est ça qui attriste, en général.

– Je vois, je vois. Mais, tout de même, nous nous reverrons.

– Peut-être pas. Ou si peu.

– Qu'est-ce qui vous fait dire ça? Un pressentiment?

– Non, une déduction tout ce qu'il y a de plus logique. Vous, vous partez.

– Pas tout de suite.

– Moi, je vais être très pris ces temps-ci, par des tas de choses.

– Quelles sortes d'affaires? Professionnelles ou de cœur?

– Mais de cœur, voyons!

Nous sommes debout sur le seuil. Je lui prends la tête dans mes mains.

– Alors, c'est vrai? dit-elle.

– J'adore vous faire marcher. De toute façon, vous ne saurez rien.

– C'est donc qu'il y a quelque chose.

– Oui, si ça peut vous faire plaisir!

Je l'attire à moi. Elle me tend ses lèvres. Je les évite et l'embrasse sur les deux joues.

– Eh bien au revoir, dis-je. On se téléphone?

– C'est à vous de commencer...

Je montai dans ma voiture. La place de Jaude étant en sens unique, je passai devant le terre-plein où j'avais, le matin même, abordé Françoise. Dans l'ombre, à peine éclaircie par le faisceau d'un lampadaire où voltigeaient quelques flocons de neige, quelqu'un, une femme, poussait une bicyclette. Non, c'est impossible, ce n'est pas elle !... Mais si ! semble-t-il. Je stoppe et descends. C'est bien elle. Nous sommes nez à nez. Elle sursaute.

– Vous !

– Vous voyez ! Ce matin nous parlions de hasard…

– Vous m'avez reconnue de si loin ?

– Même s'il n'y avait eu que dix chances sur cent que ce soit vous, je me serais arrêté !

Elle a un petit rire crispé :

– Eh bien vous voyez ! C'est moi !

J'enchaîne aussitôt :

– Vous rentrez chez vous à bicyclette ?

– Oui, j'ai raté mon car.

– Je vous raccompagne.

– Non ! dit-elle avec brusquerie, et comme une nuance de contrariété dans la voix. Ce n'est pas la peine !

Mais je ne l'écoute pas. D'autorité, je prends sa machine et vais la ranger contre un arbre :

– Si, si, c'est dangereux avec ce temps. Et puis c'est mon chemin, je vous raccompagne.

Pendant le trajet, elle m'apprit qu'elle était étudiante en biologie, mais travaillait dans un laboratoire : c'est pourquoi elle était restée à Clermont pendant les vacances universitaires. Elle habitait dans un ancien orphelinat, transformé en maison d'accueil pour les étudiants. Un peu avant Sauzet, nous prîmes un raidillon très enneigé, et je sentis tout de suite que les roues patinaient. Je voulus reculer, mais la voiture dérapa et se mit en travers. Deux ou trois manœuvres successives ne réussirent qu'à coincer le train avant dans le fossé. Il n'y avait plus qu'à se faire remorquer, mais, à cette heure, pas question, bien entendu, de trouver de l'aide. Françoise me proposa de coucher dans la chambre d'une de ses camarades, partie en vacances. Nous abandonnâmes la voiture, et nous mîmes en marche vers la maison, distante de quelque deux cents mètres.

Un escalier vétuste nous conduisit sous les combles. Françoise me fit d'abord entrer chez elle et m'invita à prendre une tasse de thé. Je lui offris mes services.

– Je sais très bien faire le thé, dis-je. C'est un de mes rares talents.

Elle me prit au mot. L'incident, notre peur commune, avaient dissipé la gêne des commencements, et la conversation, quittant les banalités, prit très vite, comme chez Maud, la veille, un tour personnel. Pendant que l'eau chauffait dans la bouilloire électrique, je m'adossai à l'encadrement de la fenêtre. La pièce était petite, de forme irrégulière, blanchie à la chaux et meublée du strict nécessaire : un lit étroit, une table de bois blanc, deux chaises paillées, des rayons ployant sous le poids des livres. Mais cette rusticité avait quelque chose de paisible et d'accueillant :

– On est bien chez vous, dis-je, on se sent comme chez soi. Moi, j'ai un appartement meublé. J'ai une cuisine, mais je ne m'en sers, pour ainsi dire, jamais. Il y a une place ici pour moi ?

Elle rit :

– Tout est loué. Et puis, on ne prend que des étudiants.

– Des garçons ?

– Des garçons et des filles. Ce n'est pas un pensionnat !

– Alors, je m'inscris à la Fac, l'année prochaine. Vous me retenez une chambre ?

– Il y a longtemps que vous êtes à Clermont ? me demande-t-elle, reprenant le ton sérieux.

– Trois mois. Je travaille chez Michelin. Avant, j'étais en Amérique, au Canada et au Chili. J'avais un peu peur de venir ici, mais finalement j'aime bien. Clermont n'est pas une ville triste.

– Vous parlez des lieux ou des gens?

– Des lieux. Les gens, je ne les connais pas. Ils sont bien?

– Ceux que je connais, oui. Sinon, je ne les connaîtrais pas.

– Vous en connaissez beaucoup?

– Non. En fait, en ce moment, je suis assez seule, mais c'est à cause des circonstances.

– Ah oui. Pourquoi?

– Pour rien. Des circonstances purement extérieures. J'avais des amis qui sont partis. C'est sans intérêt.

– Pour moi?... ou pour vous?

– Pour vous. Mais vous, enchaîna-t-elle tout de suite, vous avez bien des collègues?

– Oui, mais, dis-je avec un sourire, je me lie assez difficilement.

Je la regardai. Elle sourit à son tour, rougit légèrement et baissa les yeux.

– Je trouve idiot, repris-je, de se lier avec quelqu'un, parce qu'il est votre voisin de table, ou parce ce qu'il a son bureau à côté du vôtre. Vous ne pensez pas?

– Si, en un certain sens. Mais...

– Mais?

– Non, rien. Enfin, si. Vous avez raison.

– Vous trouvez que j'ai eu tort de vous aborder?

– Non, mais j'aurais pu vous envoyer promener.

– J'ai toujours eu de la chance. La preuve : vous ne l'avez pas fait.

– J'ai peut-être eu tort. C'est la première fois que je réponds à un garçon qui m'aborde comme ça dans la rue.

– Mais c'est la première fois que j'aborde quelqu'un que je ne connais pas. Heureusement que je n'ai pas réfléchi. Sinon, je n'aurais jamais osé.

L'eau bouillait. Je fis le thé. Nous nous assîmes, pour le

boire, de part et d'autre de la table, et continuâmes la conversation un moment interrompue.

– Ça ne vous choque pas, dis-je, que je parle tout le temps de ma chance?

– Vous n'en parlez pas : du moins je n'ai pas remarqué.

– Si! J'aime bien profiter du hasard. Mais je n'ai de chance que pour les bonnes causes. Si je voulais commettre un crime, je crois que je ne réussirais pas.

Elle rit :

– Comme ça, vous n'avez pas de problèmes de conscience!

– Très peu. Vous en avez, vous?

– Mais moi, c'est plutôt le contraire. La réussite me semble un petit peu suspecte.

– C'est ce qu'on appelle pécher contre l'espoir. C'est très grave. Vous ne croyez pas à la Grâce?

– Si. Mais la Grâce, ce n'est pas ça du tout. Ça n'a rien à voir avec la réussite matérielle.

– Mais je ne parle pas forcément des choses matérielles!

Elle marqua un temps, puis dit en pesant ses mots :

– Si la grâce nous était donnée comme ça, pour alimenter notre bonne conscience, si elle n'était pas méritée, si elle n'était qu'un prétexte à tout justifier…

– Vous êtes très janséniste!

– Moi, pas du tout. Contrairement à vous, je ne crois pas à la prédestination. Je pense qu'à chaque instant de notre vie, nous sommes libres de choisir. Dieu peut nous aider dans ce choix, mais il y a choix.

– Mais moi aussi, dis-je, je choisis. Il se trouve que mon choix est toujours facile. C'est comme ça, je le constate.

Elle ouvrit la bouche pour répondre, mais se reprit, réfléchit un instant, comme si elle hésitait sur la façon de formuler sa pensée, but une gorgée de thé et dit enfin :

– Les choix ne sont pas tous forcément déchirants. Mais ils peuvent l'être.

– Non, dis-je. Vous me comprenez mal. Je ne veux pas dire que je choisis ce qui me fait plaisir, mais il se trouve que c'est pour mon bien, mon bien moral. Par exemple : j'ai eu de la malchance. J'aimais une fille, elle ne m'aimait pas, elle m'a quitté pour un autre. Et finalement, c'est très bien qu'elle l'ait épousé, lui, et pas moi.

– Oui, si elle l'aimait.

– Non, je veux dire : c'est très bien pour *moi*. En fait, je ne l'aimais pas vraiment. L'autre a quitté pour elle sa femme et ses enfants. Moi, je n'avais ni femme ni enfants à quitter. Mais elle savait bien que, si j'en avais eu, je ne les aurais pas quittés pour elle. Donc, cette malchance, en fait, était une chance.

– Oui, dit Françoise, que cette histoire semblait intéresser tout particulièrement, parce que vous avez des principes et que ces principes passaient avant votre amour. Et elle savait très bien que, pour vous, le choix était déjà fait.

– Je n'ai pas eu à choisir, puisque c'est elle qui m'a quitté.

– Parce qu'elle connaissait vos principes... Mais, poursuivit-elle, avec une certaine véhémence, si c'était *elle* qui avait eu un mari et des enfants, et si elle avait voulu les quitter pour vous, là, vous auriez dû choisir.

– Non, puisque j'ai eu de la chance.

Elle ne daigna pas sourire : elle restait perdue dans sa rêverie. Je jugeai qu'il était temps de se dire bonsoir.

Ma chambre était sur le même palier que celle de Françoise, exiguë elle aussi et plâtrée, mais décorée avec plus de recherche, au moyen de cailloux, souches et branchages posés sur la cheminée, ou accrochés autour de la glace. J'ôtai mes chaussures et m'étendis sur le lit, roulé dans une couverture. Mais le sommeil ne venait pas. Je me redressai, attrapai un ou deux livres, posés sur un rayon au-dessus de moi, et les feuilletai. Je pris dans ma poche mon paquet de cigarettes et cherchai mes allumettes : je me souvins que je les avais oubliées tout à l'heure chez Françoise. « Il doit bien y en avoir ici », me dis-je. Effectivement j'aperçus une boîte sur la cheminée, mais elle était vide. Je fouillais alors, tiroir après tiroir, un petit secrétaire. Une photo retint un moment mon attention : elle représentait un couple de jeunes mariés souriants et gauches à souhait. Mais d'allumettes point. Je furetai encore et sans succès aux quatre coins de la pièce. Puis je sortis dans le couloir. Une raie de lumière filtrait sous la porte de Françoise…

Je dois ici un mot d'explication, car l'idée qui me prit alors était folle. J'aurais pu me passer de fumer. L'allumette n'était qu'un prétexte. Prétexte de quoi ? C'est ce que je ne saurais dire. J'avais eu ce que je voulais et n'en désirais pas davantage. Si Françoise était tombée ce soir-là dans mes bras, cela m'aurait gêné, cela m'aurait déplu. Cela n'était pas *prévu*. Alors, que voulais-je ? Rien. Savoir peut-être simplement jusqu'où je pourrais aller, à quel moment les choses, jusqu'alors complices, me rappelleraient à l'ordre : ce qui fut.

J'hésitai un long moment, puis m'avançai vers la porte et frappai.

– Entrez, dit-elle. Qu'y a-t-il ?

– Excusez-moi, dis-je en ouvrant, j'ai oublié mes allumettes.

Elle était dans son lit, assise en train de lire, à la lumière d'une lampe de chevet. Je n'osai la regarder.

– Elles sont sur la cheminée, dit-elle sèchement.

J'allais les prendre et sortis sans me retourner, lui lançant un timide « bonsoir » auquel je ne sais plus si elle répondit. Son ton m'avait glacé. Il exprimait non le mépris, mais une crainte précise – d'elle-même, non de moi – dont j'étais loin de soupçonner les raisons. Mais je sentais confusément déjà qu'elle plaçait ses appréhensions là où justement j'installais mes espoirs, et que ma foi, peut-être, était son doute.

Le lendemain matin, comme je dormais encore, elle vint frapper à ma porte, souriante et moqueuse.

– Il est neuf heures et demie. Vous oubliez votre rendez-vous ?

– Quel rendez-vous ?

– Avec une fille, à la messe.

– C'est vrai, c'est dimanche. Et il va falloir que je m'occupe de la voiture…

Nous prîmes dans sa chambre un rapide petit déjeuner. Tout en buvant notre café, nous ne pouvions nous empêcher de nous regarder et de rire. Au moment de sortir, comme elle se retournait gaîment, je me plaçai contre elle et la cernai de mes deux bras, appuyés à la cloison. Je voulus l'embrasser, mais elle détourna la tête.

– Françoise, dis-je, vous savez que je vous aime ?

– Ne dites pas ça !

– Pourquoi ?

– Vous ne me connaissez pas.

– Je ne me trompe jamais sur les gens.

– Je peux vous décevoir !

Et déjà, elle repoussait mon bras et se frayait un passage.

Mon histoire pourrait s'arrêter là. Françoise me fit tout oublier, à commencer par Maud à qui j'essayai de téléphoner une fois, par acquit de conscience, et qui n'était pas chez elle. Et pourtant le souvenir de ma nuit, que j'avais cru exorcisé, allait refaire surface dans des circonstances qui me forceront à l'évoquer par deux fois

115

devant Françoise et lui faire, par deux fois, le même pieux mensonge.

Quinze jours plus tard, comme nous nous promenions la main dans la main, rue des Gras, flânant devant les boutiques, nous tombons sur Vidal. Il salue Françoise comme une personne de connaissance. Je suis surpris. Elle semble mal à son aise.

– Clermont est petit, dit-il pour toute explication, comme ayant peur de commettre une gaffe. En tout cas, tu es un beau salaud! Tu ne me fais plus signe.

– Je t'ai appelé avant-hier. Tu n'étais pas là.

– J'étais à Toulouse hier et avant-hier. Tiens, j'ai une commission pour toi...

Il jette un regard de côté en direction de Françoise qui, perdue dans sa rêverie, paraissait ne pas nous écouter.

– ... Notre amie s'en va.

– Elle est partie?

– Non, pas encore. J'étais avec elle pour un petit voyage de reconnaissance. Nous venons de rentrer. Elle va repartir, cette fois-ci sans moi.

– Quand?

– Demain, je crois. L'affaire s'est conclue très vite.

– Elle est chez elle ce soir?

– Oui, je suppose.

– Je lui téléphonerai. Au revoir!

– Et bonne année, dit-il, en nous enveloppant du même regard ironique.

Je ne téléphonai pas. Je ne parlai pas non plus de Maud à Françoise. Elle, si curieuse de ma vie en Amérique, semblait se désintéresser de mon passé récent. Elle ne me demanda pas quelle était cette amie commune dont on venait de faire mention. Et c'est moi qui la questionnai sur Vidal:

– Tu le connaissais?

– Comme ça. Il est prof à la Fac.

– Tu ne fais pas philo !

– Tu sais, Clermont est petit, dit-elle, reprenant les propres termes de Vidal. De toute façon, nous nous connaissons très peu. C'est un de tes amis ?

– Un camarade de lycée. Qu'est-ce que tu as contre lui ?

– Rien. Nous nous connaissons très peu, c'est tout !

Je sentais que ce sujet-là lui déplaisait, et n'insistai pas. D'autres, plus graves, mobilisaient mon attention. Je ne pouvais m'expliquer la réserve où Françoise continuait de se tenir par quelque pudeur un peu sotte, ou tiédeur de sentiments à mon égard. Je devinais à bien des signes que son attachement pour moi était aussi tendre et passionné que le mien pour elle. Manifestement, elle se faisait violence pour ne pas me l'avouer, et avait à cela des raisons précises, qu'elle n'osait invoquer. A toutes mes déclarations d'amour, elle s'appliquait maladroitement à opposer un visage fermé, sans pouvoir tout à fait dissimuler à quel point elle était ravie de les entendre et désespérée de ne pouvoir leur faire écho. Sur certains points, elle se montrait d'une susceptibilité extrême, ne supportant pas que je fasse d'elle un trop vif éloge et surtout lui dise – ce que j'avais envie de claironner par monts et par vaux – qu'elle était pour moi l'Unique, l'Introuvable, la Somme de toutes les perfections jamais imaginées et souhaitées. Et ce n'était pas par seule modestie.

Un jour, nous nous promenions sur les hauteurs qui dominent Clermont. La neige tombait à flocons serrés. Je contemplais la ville, ses clochers, ses usines et ses fumées qui se fondaient dans le ciel bas. Ma rencontre avec Françoise avait dénoué les liens qui m'attachaient encore aux autres villes. Désormais je ne me sentais plus en exil, comme toujours jusque là dans ma vie, mais au centre du monde, à ma vraie place, avec ma vraie personnalité, ma vraie femme…

— Il me semble que nous nous connaissons depuis toujours, dis-je à Françoise… Tu ne trouves pas ?

— J'aimerais bien, dit-elle avec un peu d'impatience.

— Tu aimerais quoi ?

— Ça : qu'on se soit *toujours* connus.

— Mais je t'ai toujours connue ! Tout de suite, avec toi, j'ai eu l'impression de quelque chose de familier. L'impression que tu m'étais connue, absolument.

Je m'approche d'elle et la prends dans mes bras. Mais je la sens toute raide.

— Il y a des impressions trompeuses, dit-elle en essayant de se dégager.

Je la retiens :

— Tant pis si je me trompe ! Et puis je ne me trompe pas.

Je lui relève la tête et j'essaie de l'embrasser. Mais elle se dérobe et me repousse de la main. Je l'enlace de nouveau :

— Embrasse-moi !

Elle se dégage et s'avance d'un pas.

— Tu ne veux pas m'embrasser ? Qu'est-ce qu'il y a ?

— Rien.

— Je ne sais pas, je te trouve bizarre, dis-je, sans bouger de ma place.

— Non, je suis raisonnable.

Je ne vois d'elle que son profil buté et le mouvement nerveux de sa main, tortillant son foulard.

— Ecoute, Françoise. J'ai trente-quatre ans, tu en as vingt-deux, et nous nous conduisons comme des gamins de quinze ans. Tu n'as plus confiance en moi ? Est-ce que je ne suis pas un garçon sérieux ?

— Toi, si.

— Alors ?

Elle marque un temps. Puis d'une voix nette, marte-lée :

– J'ai un amant, dit-elle, sans se retourner.

Je bredouille :

– Tu as?… Maintenant?

– Enfin, j'ai eu. Ce n'est pas tellement loin.

Je m'approche doucement d'elle :

– Mais… tu l'aimes?

– Je l'aimais.

– Et qui est-ce?

– Tu ne le connais pas. (Elle a un petit rire.) Rassure-toi, ce n'est pas Vidal.

– Et c'est lui qui… qui t'a quittée?

– Non, c'est plus compliqué que ça. Il est marié.

– Ah, oui !

Mon ton est sec, et Françoise éclate en sanglots. Je la laisse pleurer quelques instants. Je reprends :

– Ecoute, Françoise, tu sais combien je te respecte et respecte ta liberté… Si tu ne m'aimes pas…

– Mais si, tu es fou !

– Je veux dire : si tu n'es pas sûre de m'aimer.

– Mais je t'aime, c'est toi que j'aime !

– Et lui?

– Je l'ai aimé. J'étais folle. Je pourrais bien te dire que je l'ai oublié, mais on ne peut pas oublier tout à fait quel-qu'un qu'on a aimé. Je l'ai revu juste avant de te rencon-trer.

– Tu le revois souvent?

– Non, il a quitté Clermont. C'est fini, je te dis. Nous ne nous reverrons plus. Rassure-toi. C'est fini.

Je lui passe affectueusement mon bras autour du cou :

– Ecoute, Françoise, si tu veux, nous pouvons attendre le temps que tu voudras. Maintenant, si tu crois que je t'aime moins, que je te respecte moins à cause de tout ça, tu te trompes. D'abord parce que je n'en ai pas le droit. Et puis, je peux bien te le dire, je suis content. Oui, c'est vrai, je me sentais gêné vis à vis de toi. J'ai eu des aventures et certaines ont duré très longtemps. Comme ça, nous sommes à égalité !

– Oui, mais elles n'étaient pas mariées.

– Et alors ?

– Et c'était loin, en Amérique ! dit-elle, en esquissant un pâle sourire.

– Eh bien, je vais te faire une confidence. Le matin même du jour où nous nous sommes rencontrés, je sortais de chez une fille. J'avais couché avec elle.

Cette phrase laisse, un moment, Françoise toute songeuse. Puis, brusquement, elle se redresse, son visage se rassérène, elle essuie ses larmes :

– Si on ne parlait jamais de tout cela… Tu veux bien n'en parler jamais ?

La seconde évocation ce fut lorsque, cinq ans plus tard, en Bretagne, je croisai Maud par hasard. Françoise et moi descendions à la plage avec l'aîné de nos enfants quand, au détour du chemin, je me trouvai nez à nez avec elle. Bronzée, les cheveux au vent, elle me parut plus belle encore, et plus jeune, qu'autrefois. Je voulus lui présenter ma femme.

– Mais, nous nous connaissons, dit-elle… Enfin, de vue. Mes félicitations… Pourquoi ne m'avez-vous pas envoyé de faire-part ?

– J'ignorais votre adresse à Toulouse.

– Vous auriez pu me téléphoner avant mon départ.

– Je l'ai fait, je crois.

– Inutile de mentir. J'ai bonne mémoire : vous m'avez lâchée ignominieusement… Enfin, vous aviez vos raisons, ajoute-t-elle avec un sourire aimable en direction de Françoise.

120

Mais celle-ci, mal à l'aise, ne cherchait qu'un prétexte pour nous quitter.

– Il veut aller jouer, dit-elle, en prenant son fils par la main. Excusez-moi...

– Tiens! C'était elle! dit Maud, quand Françoise fut hors de portée de voix. Comme c'est bizarre! J'aurais dû y songer.

– Elle?

– Oui, votre femme, Françoise.

– Mais je ne vous ai jamais parlé d'elle!

– Et comment! De votre fiancée, blonde, catholique. J'ai bonne mémoire, vous savez!

– Comment aurais-je pu vous parler d'elle, puisque je ne la connaissais pas!

– Pourquoi mentir?

– J'ai fait sa connaissance le lendemain même du... du soir où je suis allé chez vous.

– Du soir? Vous voulez dire de la nuit, de *notre* nuit. Je n'ai rien oublié. Vous ne cessiez de me parler d'elle...

– Oui... d'une certaine façon!

– Elle vous a parlé de moi?

– Non. Pourquoi?

– Pour rien... Je vois que vous êtes toujours cachottier. Bon, ne remuons pas les cendres, les cendres froides. C'est loin, tout ça!

– Et pourtant, c'est fou ce que vous n'avez pas changé!

– Vous non plus.

– Et, en même temps, ça me semble terriblement loin.

– Pas plus qu'autre chose, pas plus loin que tout, en fin de compte... Au fait, vous savez que je suis remariée?

– Mes compliments.

– Il n'y a pas de quoi! Ça va mal. Ça va mal en ce moment. Je ne sais pas comment je fais mon compte, mais je n'ai jamais eu de chance avec les hommes.

Elle eut un petit sourire triste :

– …Ça me fait plaisir de vous revoir, même si c'est pour apprendre que… Bon, je vois que je vous embête en parlant de ça.

Elle me tendit la main :

– Eh bien, au revoir !

– Vous restez longtemps dans la région ?

– Non : nous repartons ce soir.

– Vous venez quelquefois à Clermont ?

– Non jamais. Et vous, à Toulouse ?

– Jamais. Mais qui sait : peut-être dans cinq ans !

– C'est ça : dans cinq ans. Filez vite. Votre femme va croire que je vous raconte des horreurs.

Je retrouvai Françoise assise sur le sable qu'elle remuait du bout de son pied nu. Elle leva un instant vers moi des yeux craintifs et interrogateurs, puis baissa la tête.

– Elle te fait ses amitiés, dis-je… Elle reprend le bateau ce soir, avec son mari. C'est curieux, je ne savais pas que vous vous connaissiez…

Elle me jeta alors un regard étonné. Je poursuivis :

– Quand elle a quitté Clermont, je ne te connaissais… oh !… je venais juste de faire ta connaissance. Elle a dit que nous n'avions pas changé. Elle non plus…

Françoise, pour cacher son trouble, avait pris une poignée de sable et la laissait couler lentement entre ses doigts. Je ne savais plus très bien que dire pour forcer son mutisme.

– … C'est bizarre, repris-je, je ne l'avais pas vue depuis cinq ans… C'est fou ce que les gens changent peu ! Je ne pouvais pas faire semblant de ne pas la reconnaître ! Et puis, comme c'est une fille très sympathique… Tu sais, quand je t'ai rencontrée, c'est de chez elle que je sortais… Mais…

J'allais dire : « il ne s'est rien passé », quand, tout à coup, je compris que la confusion de Françoise ne venait pas de ce qu'elle apprenait de moi, mais de ce qu'elle devinait que j'apprenais d'elle, et que je découvrais, en fait, en ce moment – et seulement en ce moment... Et je dis, tout au contraire :

– Ce fut ma dernière escapade. C'est étrange que je sois tombé justement sur elle. Tu ne trouves pas ?

– Je trouve ça plutôt comique. De toute façon, c'est loin, c'est très loin. On avait dit qu'on n'en parlait plus.

– Oui, fis-je, ça n'a absolument aucune importance. On se baigne ?

Je la pris par la main et courus vers les vagues.

IV

La Collectionneuse

Haydée

Haydée a un visage rond aux pommettes saillantes, de grands yeux verts, un nez retroussé, des lèvres charnues et bien dessinées. Sa tête est assez petite, ses épaules sont larges et carrées, ses seins hauts et ronds, son ventre plat, ses hanches étroites, comme celles des Egyptiennes. Ses cuisses longues et pleines, ses genoux déliés, ses chevilles fines, expliquent l'élasticité de sa démarche. Elle nage comme une championne, et bat les garçons à la course.

Daniel

Daniel – Daniel Pommereulle qui prête son personnage à notre histoire – est un de ces peintres qui, dans les années soixante, ont jeté le pinceau aux orties et se sont lancés dans la fabrication d'objets. Le critique Alain Jouffroy les

appelle les « Objecteurs » [1], et leur a consacré sous ce titre
un article dans la revue *Quadrum*. Nous sommes en 1966.
Jouffroy, justement, est en visite chez Daniel. Il admire
l'une de ses dernières créations : un petit pot de peinture
jaune sur lequel sont fixées des lames de rasoir. Il le prend
et le fait tourner dans sa main. Il commente :

– Chacun doit aller au bout de soi. Les gens qui ne vont
pas au bout d'eux-mêmes sont comme les Versaillais qui
encerclent les gens qui vont au bout d'eux-mêmes. Les
gens qui vont au bout d'eux-mêmes sont forcément encer-
clés, forcément agressifs... Par exemple, ça, c'est parfait.
On ne peut faire mieux. C'est l'Unique, qui base sa cause
sur rien, et qui est entouré... Aïe !...

Il s'est coupé. Une goutte de sang perle de son pouce.

– ... par sa propre pensée comme par des lames de rasoir.
Impossible à tenir : la preuve !

Daniel sourit :

– C'est fait exprès.

– Tu aimes qu'on se coupe à ta peinture ?

– Oui, mais pas toi. Tu es un tranchant, tu n'as pas à te
couper.

– Ça ne me gêne pas de me couper. Je ne fréquente que
les gens qui sont dangereux. Tu me fais penser à l'élégance
des gens de la fin du XVIIIᵉ siècle qui étaient extrêmement
soucieux de leur apparence, de l'effet qu'ils produisaient
sur les autres. C'était déjà là le commencement de la
Révolution : l'élégance crée une sorte de vide autour de la
personne...

Il regarde Daniel, qui arbore, sur une chemise bleu-
marine une cravate de tricot jaune vif. Il poursuit :

– ... Ce vide autour de ta personne tu le crées toi aussi.
Tu le crées avec tes objets, mais tu pourrais tout aussi bien

1. A savoir, outre Pommereulle, Raynaud, Arman, Spoerri, Kudo.

t'en passer. Les lames de rasoir c'est la parole. Ça peut être aussi le silence… Ça peut être l'élégance : un certain jaune…

Adrien

Pour peindre Adrien et son monde, transportons-nous à la campagne, dans le parc de la maison de Rodolphe, personnage étranger à ces événements, et dont nous ne saurons jamais que le nom, plusieurs fois cité au cours du récit.

Nous sommes au début de juin. Les arbres sont encore d'un vert intense. Les oiseaux poussent leurs trilles aigus. Adrien est en conversation avec deux femmes très belles et mises, comme lui, avec une simplicité raffinée. Leurs cheveux flottent sur leurs épaules. L'une est blonde, l'autre brune. Nous les appellerons, en hommage à Nerval, Jenny et Aurélia.

On parle de l'Amour et de la Beauté. Toutes deux sont, sur la question, d'avis diamétralement opposé. Aurélia affirme qu'on aime quelqu'un parce qu'on le trouve beau, Jenny qu'on le trouve beau parce qu'on l'aime. Adrien penche pour cette dernière opinion :

– Un homme peut être très laid et avoir une grâce infinie. Si on l'aime, on transforme automatiquement sa laideur en beauté.

– Moi, dit Aurélia, si je trouve quelqu'un laid, il n'a pas de grâce. Plus rien n'est possible. C'est terminé tout de suite.

– Terminé pour quoi faire ? demande Jenny.

– Pour n'importe quoi ! Même pour des rapports très superficiels. Même pour boire un pot cinq minutes avec lui. Je ne peux pas : s'il est laid, je m'en vais… Est-ce que vous pouvez avoir des rapports d'amitié avec quelqu'un que vous trouvez laid ?

– Mais la laideur et la beauté n'interviennent pas dans mon amitié. Si j'ai de l'amitié pour quelqu'un, je ne le vois ni beau ni laid.

– De l'amitié, on n'en a pas dans les cinq minutes. Il faut se revoir plusieurs fois. Comment faites-vous pour revoir plusieurs fois une personne que vous trouvez laide ? Moi, je prends la fuite. Ce n'est pas possible !

– Il n'est pas question de laideur. Dans la multitude de gens qui sont beaux, je ne me sens concernée que par ceux qui ont quelque chose au-delà de leur beauté. Si je voyais quelqu'un d'une beauté absolue, ça m'ennuierait.

– Quand je dis beau, je ne parle pas de la beauté grecque. La beauté absolue, ça n'existe pas. Moi, pour que je trouve quelqu'un beau, il suffit parfois d'une toute petite chose : quelque chose entre le nez et la bouche, ça pourrait suffire.

– Donc, dit Adrien, n'importe qui a une chance de te plaire.

– Non !

– Une chance au moins.

– Ah, non ! C'est ça le drame. Je trouve très peu de gens beaux. Ça me limite incroyablement dans mes relations, parce que, quand les gens me répugnent, je ne les revois plus. Or, comme beaucoup de gens me répugnent...

– Et ça ne vous arrive jamais, dit Jenny, de changer d'opinion ?

– Non. La première chose que je demande, par exemple, si on va dîner chez quelqu'un, ce n'est pas : « qu'est-ce qu'il fait ? ». C'est : « est-ce qu'il est beau ? »

– Et les gens laids, dit Adrien, sont irrémédiablement condamnés ?

– Oui.

– Au four ?

– Oui, ils le méritent. La laideur, c'est une insulte pour

les autres. On est responsable de son physique. Par exemple, le nez bouge ou vieillit selon la façon dont on parle, dont on pense. D'ailleurs, quand je parle de beauté, je ne parle pas de beauté immobile : les mouvements, l'expression, la démarche, tout ça compte...

En fin d'après-midi, Adrien et Jenny se promènent au fond du parc tendrement enlacés. Le soleil descend vers la cime du bois voisin, les ombres s'allongent, la lumière a perdu sa violence.

– Combien de temps penses-tu rester à Londres ? dit Adrien.

– Cinq semaines au moins.

– Tes photos de mode ne vont pas te prendre tout ton temps ?

– Non. Mais j'ai plein d'amis à voir, et j'aime bien Londres en juillet.

Ils se sont arrêtés. Adrien se tient face à elle. Elle lui passe ses bras autour du cou. Ils se regardent dans les yeux, puis s'embrassent un long moment. Jenny se dégage enfin et tourne sur place, la tête baissée, songeuse.

– Viens plutôt sur la côte, dit Adrien. Rodolphe me prête sa villa.

– De toute façon, j'ai trop de choses à faire.

– Tu viens de me dire le contraire. Viens au moins quelques jours.

– Ça ne vaut pas la peine. Pourquoi, toi, ne viens-tu pas à Londres ?

– Qu'est-ce que j'y ferais ?

– Et que feras-tu sur la côte ?

– Je vais voir des gens pour mes affaires.

– Quelles affaires ? Je n'ai jamais vraiment cru à tes affaires, tu sais !

– Je dois assister à une vente, traquer un commandi-

131

taire, collectionneur d'antiquités chinoises. Il veut me financer ma galerie de peinture.

– Tu ne crois pas qu'à Londres tu trouverais des gens plus intéressants pour toi ?

– Je ne vois que des gens sérieux, je ne fais que des choses sérieuses. D'ailleurs, viens : tu verras.

– Je ne viens pas.

– Pourquoi ?

– Parce qu'il faut bien que l'un de nous fasse quelque chose de sérieux, de temps en temps.

– Mais je suis sérieux ! Pourquoi t'en vas-tu toujours quand on pourrait être ensemble ? J'aimerais que tu viennes. J'aimerais beaucoup.

– Pourquoi ne viens-tu pas à Londres ?

– Je t'ai dit : je ne peux pas.

– Bon, dans ce cas…

Brusquement Jenny quitte Adrien, et se dirige vers le haut du parc. Il la regarde partir, sans réaction. Au bout d'un moment, il remonte à son tour, passe impassible devant Jenny qui a repris sa place dans son fauteuil, à côté d'Aurélia, et franchit la porte de la maison. Il monte l'escalier jusqu'au dernier étage. Il se promène dans les pièces désertes et, comme pour se trouver une occupation, avise différents bibelots qu'il examine en connaisseur. Il pénètre enfin dans une chambre dont la porte est simplement poussée. Il voit sur une commode une petite statuette nue d'époque 1925. Il la prend et la contemple sous tous ses angles. Un avion est en train de passer au-dessus de la maison, et son vrombissement couvre tous les autres bruits. Mais, tandis qu'il s'éloigne, des craquements et des soupirs se font perceptibles dans la pièce même. Adrien tourne la tête : un couple est là, dans un lit. Gêné, il bat en retraite. Mais son regard a croisé celui de la fille…

Récit d'Adrien

Dès mon arrivée, Daniel m'avait annoncé la mauvaise nouvelle : une fille logeait ici, invitée par Rodolphe, et troublerait notre repos.

– Comment dis-tu : Maïté ?

– Haydée.

– Je ne vois pas. D'ailleurs, je confonds toutes ces filles dans la même indifférence. C'est quel genre ?

– Bécassine, tête ronde, poil ras... charmante.

– Elle dort ici ?

– En principe oui. Elle fait la manche à droite et à gauche. Parfois elle vient avec des types...

J'avais envie d'être seul, et la présence de Daniel ne me pesait nullement. Vivant tout au long de l'année sans horaires ni dates, je songeais à m'inventer une règle.

L'aspect monacal de ma chambre, située sous les combles et meublée d'un simple lit de fer, m'y conviait. D'abord, me lever tôt. Je n'avais jamais abordé l'aube qu'à revers, au sortir de mes nuits blanches. Il s'agissait maintenant pour moi de lire le matin dans le vrai sens, et de l'associer, à l'exemple de la quasi-totalité des êtres sur la terre, à l'idée d'éveil et de commencement. Sensation vivifiante et oppressante tout à la fois.

Il m'importait de décaler d'un tiers de journée le rythme de ma vie et de me trouver, le soir, assez fourbu pour ne plus céder à la tentation de sortir. Et à quoi donc voulais-je m'occuper ? Justement à ne *rien* faire. J'avais envie de prendre, pour une fois, de vraies vacances, car mon travail commençait où cessait celui des autres : aux soirées, aux week-ends, sur les plages, à la montagne.

Mais cette année-là, une seule affaire m'intéressait, celle de ma galerie de peinture. Tout s'effaçait devant elle et, le stade de la préparation étant déjà passé, je n'avais plus qu'à attendre. N'ayant donc, pour la première fois depuis dix ans, plus rien à faire du tout, j'avais entrepris de ne rien faire effectivement, c'est-à-dire de pousser l'inoccupation jusqu'à un degré jamais atteint au cours de mon existence.

La villa de Rodolphe était une gentilhommière dans le style provençal de la fin du XVIIIe siècle : deux étages sur soubassement formant terrasse, fronton avec œil-de-bœuf. Assez délabrée, flanquée d'une arche à demi effondrée, elle s'élevait à la lisière d'un bois de chênes-lièges. A travers ce bois, un sentier en lacets menait à une petite crique où s'amorçait un semblant de plage. L'endroit, à cette heure matinale, était désert. Nul bruit de voix ne venait se superposer au clapotis des vagues et à la rumeur des cigales, et je me fermais à tout souvenir qui aurait pu me distraire des impressions de l'heure.

Je m'efforçais même de ne plus penser. J'étais enfin seul devant la mer, loin du rite des croisières et des plages, réalisant un rêve très cher de mon enfance et, d'année en année, différé. Je voulais que le regard que je portais sur elle fût le plus vide possible, exempt de toute curiosité de peintre ou de naturaliste, car, peut-être, si j'avais suivi l'une de mes pentes, aurais-je passé ma vie à collectionner et à herboriser. Je m'abandonnais à la seule fascination des mouvements de l'ombre et de la lumière, sur le fond tapissé d'oursins violets et d'algues brunes, jusqu'à entrer dans une léthargie que le bain prolongeait. J'aimais flotter détendu, économe de mes mouvements, et me laisser dériver au gré des mille petits courants qui animent l'eau du golfe. Cet état de passivité, de disponibilité totale semblait fait pour se poursuivre bien au-delà de l'espèce d'euphorie où vous met le premier contact de la saison avec la mer.

Je m'imaginais très bien coulant, pendant tout un mois, mes pensées dans le même moule.

C'est pourquoi la présence de tout autre que Daniel m'était insupportable. La seule femme au monde que j'aurais aimé avoir auprès de moi était absente. J'en avais pris mon parti : c'était sans trop de peine que j'écartais au loin – et pour toujours, croyais-je – sa pensée. Mais je n'en étais pas encore à tolérer la présence d'une autre, *a fortiori* d'une des minables petites protégées de l'ami Rodolphe.

En vain tentai-je de convertir Daniel à ma règle. Il s'obstinait à se lever à l'heure où, rentrant du bain, je considérais ma journée comme déjà presque finie : j'employais le reste à lire, à l'ombre d'un grand chêne vert planté devant la terrasse. Je m'étais emparé du premier bouquin tombé sous ma main : le tome I des œuvres complètes J.-J. Rousseau, dans la collection de la Pléiade. Cette place donnée à la lecture irritait mon compagnon qui poursuivait de son côté sa recherche du rien, du vide, mais d'une manière beaucoup plus franche et brutale que la mienne. Et force m'était, sur ce point, de voir en lui un maître.

– Vraiment, me disait-il, tu ne fais rien ?

– Rien.

– Rien ?

– Absolument rien, positivement rien. Depuis que je suis arrivé, je n'ai rien fait. Je fais de moins en moins : je veux en arriver au rien absolu.

Il était près de moi, couché au pied de l'arbre, le regard perdu dans l'immensité du feuillage au-dessus de lui :

– C'est très difficile. Il faut une application et un soin énormes.

– Tandis qu'à moi, ça me vient tout naturellement. C'est ma pente.

– Oui, mais suivre sa nature, c'est plus éreintant que la contrer. D'ailleurs, tu ne fais pas rien : tu lis.

– Mais si je ne lisais pas, je penserais, et penser, au fond, c'est la chose la plus pénible et la plus accaparante qui soit. Je crois qu'on pense toujours trop. Un bouquin, ça me fait penser dans une certaine direction qui est celle du bouquin. Ce que je ne veux pas, c'est penser dans ma direction à moi.

– Oui. On n'a que trois ou quatre idées vraies dans sa vie. Les gens qui pensent toujours, ça n'existe pas.

– C'est ça. Je ne cherche rien. Si je trouve un bouquin, je le lis. Si c'est Rousseau, je lis Rousseau, mais je pourrais, tout aussi bien, lire Don Quichotte. Et si une fille tombe dans mes bras et qu'elle est jolie, je la prends, encore que, pour l'instant, je n'aie aucune envie d'avoir une histoire avec une fille.

– Et si Haydée vient dans ton lit ?

– Qui ? Ah oui, la fille ! Elle est venue dans le tien ?

– Non. Elle est toujours prise. Et même, à l'intérieur d'un laps de temps de vingt-quatre à quarante-huit heures, elle est remarquablement fidèle...

Trois ou quatre jours après mon arrivée, à deux heures du matin, je fus réveillé par un bruit de voix, de pas et de robinets venu de la chambre voisine. Comme le vacarme se prolongeait, je dus demander le silence, en frappant un grand coup sur la cloison commune. Le lendemain, en rentrant du bain vers midi, j'aperçus la fille à sa fenêtre, en compagnie d'un garçon de son âge. Puis, un peu plus tard, ils descendirent sur la pelouse, tandis que j'étais en train de lire sous mon arbre. D'après la description que m'avait faite Daniel, je m'attendais à trouver une autre fille que j'avais aperçue chez Rodolphe, collante et horripilante à souhait. Celle-ci ne lui ressemblait que par la coiffure, et son visage, à cette distance, ne me disait rien. Il est vrai que je suis médiocre physionomiste. Mais qu'importait, puisque, du train où elle allait, je ne lui accordais, à elle non plus, guère de chances de vivre en bonne entente avec moi. Elle s'était avisée, en effet, de bombarder avec des cailloux les poules du jardinier qui picoraient dans l'herbe : chaque fois qu'elle en touchait une, elle partait d'un éclat de rire hystérique. Une pierre lancée trop loin vint rouler à mes pieds. Je tournai la tête d'un air renfrogné : elle eut un vague geste d'excuse.

Mais elle m'avait déjà identifié comme l'intrus qui, quelques jours plus tôt, chez Rodolphe, à la campagne, avait pénétré dans sa chambre :

– « Nous nous sommes déjà vus », dit-elle, de l'air le plus naturel, tandis que je la rejoignais sur la terrasse pour le déjeuner. Daniel et moi entreprîmes sur-le-champ de démolir le petit copain, un certain Charlie, sous l'œil amusé de Haydée, qui n'avait pas l'air de tirer grande fierté de sa conquête.

Comme il me demandait ce que je faisais « dans la vie », je lui répondis que j'étais médecin, spécialiste de la vue, et qu'au lieu de porter des lunettes achetées dans les Prisunic, il ferait mieux de s'inspirer de celles de Daniel, bleues, minuscules, cerclées de fer :

– Vous savez que c'est très dangereux d'acheter la première camelote venue.

– Mais ce n'est pas de la camelote ! Je les ai payées quinze mille francs, elles sont « polaroïdes » !

– Oui, dis-je d'un air pénétré, la « polarisation » est une théorie entièrement dépassée. Aujourd'hui, on en revient à la vieille idée selon laquelle la seule protection efficace contre le soleil est la couleur. Il y a deux couleurs qui filtrent les rayons nuisibles : le bleu et le magenta.

Et je lui tendis les lunettes de Daniel, qu'il mit avec le plus grand sérieux :

– Qu'est-ce que c'est que le « magenta » ?

Il était si grotesque que nous partîmes tous trois d'un rire homérique. Je crus qu'il allait claquer les portes. Mais il attendit le dessert avant d'embarquer Haydée sur sa moto.

Le vacarme reprit la nuit suivante. Je reconnus la voix du garçon. « Silence, Mademoiselle ! », criai-je en tapant sur le mur. Je décidai que cette nuit serait la dernière : le lendemain, vers midi, lorsque « Charlie » descend sur la terrasse, Daniel s'avance vers lui :

– Mon vieux, vous êtes prié de vider les lieux.

L'autre lui tourne le dos :

– Mais je ne veux rien avoir à faire avec vous ! J'vous connais pas !

Je sors à mon tour :

– Monsieur, vous avez troublé mon repos. C'est regrettable. La raison est au plus fort.

Je prends son chandail qu'il a posé sur le parapet et le lui jette. Il se retourne vers Daniel, qui garde son air menaçant. Entre temps, Haydée est apparue sur le seuil et regarde la scène. Il s'avance vers elle :

– Partons ! Mon père ne rentrera pas avant huit jours. Viens chez moi.

– Non ! dit-elle, avec un petit sourire candide.

– Quoi ?

– Je dis : non !

– Tu ne vas tout de même pas rester avec ces charlots ?

– Si !

Il la dévisage un moment, comme pour s'assurer qu'elle ne plaisante pas, hausse les épaules et part sans se retourner. A peine a-t-il disparu dans l'escalier que Haydée se dirige vers la table de fer où le petit déjeuner est servi. Elle verse du thé dans un bol et me le tend avec un geste d'ancestrale soumission.

Docile, elle n'invita plus personne. Le soir, après huit heures, elle se contentait de téléphoner. Elle rentrait le plus souvent à l'aube, au moment où je me levais. Le garçon qui la raccompagnait n'était pas forcément celui qui, la veille au soir, était venu la chercher. Mais un soir, en quête de chauffeur, elle fit appel à mes services.

– Tu peux me conduire?

– Pourquoi faire?

– J'ai rendez-vous.

– Avec lequel?

– Tu ne le connais pas.

– Arrange-toi pour que le suivant ait une voiture.

J'étais assis sur la terrasse, lui tournant à moitié le dos. Elle s'était avancée jusqu'au seuil du salon et restait debout, perplexe :

– Tu ne peux vraiment pas? reprit-elle.

– Si, je peux, mais je ne veux pas.

Elle eut un geste de lassitude et rentra dans la pièce. Je la rappelai :

– Haydée?

– Quoi?

– Ma pauvre chérie, je trouve que tu manques de tenue. Regarde : Daniel et moi, nous avons trouvé le bonheur dans la vertu et la vie simple.

Daniel installé sur le canapé, devant une pile de *comics*, lui jeta un regard suave qui eut le don de la dérider un peu.

– On prend son plaisir où on peut! dit-elle d'un ton qu'elle ne parvint pas à rendre railleur.

– Tu viens te baigner demain à sept heures? poursuivis-je.

– Pourquoi pas?

Elle emprunta quelques albums à Daniel, s'assit dans un fauteuil et se mit à les lire.

Quand, le lendemain, je frappai à sa porte, elle était déjà

habillée et prête à me suivre. Qu'elle m'eût pris au mot m'étonnait, mais ne me déplaisait pas tellement, je dois dire : la situation en était éclaircie. Comme Daniel, elle ferait partie de ma solitude. Puisqu'elle était là, mieux valait l'annexer. C'est pourquoi je mis d'emblée nos relations sur le plan de la plus franche camaraderie. Je savais pourtant qu'elle aurait souhaité de moi exactement le contraire : que je lui fasse une cour mi-insolente mi-cérémonieuse. C'était assez dans ma manière – avec toute autre fille, bien entendu. Mais le fait est que, pendant quelques jours, nous vécûmes très agréablement tous les trois, attachés à l'observation scrupuleuse de nos emplois du temps respectifs et à l'accomplissement de nos tâches domestiques. Haydée se révélait comme une fille très vivable et très apte à se mettre tout de suite à notre diapason, sans pour autant démarquer nos allures et nos tics.

Toutefois, il y avait je ne sais quoi de boiteux dans la situation et qui ne m'échappait pas, bien que Haydée dissimulât très habilement ce que, à tort ou à raison, je supposais être son jeu. Et cette réserve de sa part, précisément, m'irritait. Je pris donc le risque de tout brusquer et, par crainte de me laisser insidieusement mollir, optai pour l'irréparable. Un jour, je lui débitai crûment, avec une maladresse voulue, tout ce qu'il ne fallait pas dire.

Nous étions en promenade, j'avais arrêté ma jeep à la lisière d'un bois. Je pris une couverture et l'étalai sur le revers du talus afin que Haydée, qui portait une robe très courte, pût s'asseoir sans se piquer les jambes aux herbes et aux broussailles. Je me mis en contrebas et, d'une main, lui caressai le mollet, tout en me lançant dans un tortueux préambule :

– Le vin de Provence, dis-je en désignant le vignoble qui s'étendait sous nos yeux de l'autre côté du chemin, c'est ce qu'il y a au monde de plus mauvais : il est infect !

140

D'ailleurs, je n'en bois plus. On a toujours tort de boire ce qu'on n'aime pas, d'accepter les choses qu'on n'aime pas, de voir des gens qu'on n'aime pas. C'est même la suprême immoralité. En somme, mon plus grand tort, c'est de vouloir vérifier mes impressions premières. Par exemple, je savais que les jambes d'une fille dont le nez me déplaît, me laisseraient froid.

– Ben, n'y touche plus ! dit-elle d'une voix posée, tout en repliant ses jambes sous elle.

– D'ailleurs, repris-je.

– Quoi ?

– Ecoute, Haydée, je ne veux pas te faire de peine. Si tu cours après moi, ça me gêne.

– Je ne te cours pas après !

– Si ! Je vois bien quand une fille s'intéresse à moi. En d'autres circonstances, tu pourrais m'avoir : je suis faible et trop gentil. Il faut savoir être moral et, quand je pense à toi comme à une fille avec qui je devrais coucher, je vois tous tes défauts. Et pourtant, tu dois avoir des qualités.

– Tu crois ?

– Tu ferais mieux de t'attaquer à Daniel. Evidemment, il est infiniment supérieur à toi, mais sa moralité est plus élastique que la mienne.

– On dirait qu'il n'y a que vous deux au monde, dit-elle du même ton calme, sans la moindre agressivité. Ce ne sont pas les garçons qui manquent !

– Je sais, Haydée, tu plais trop. Nous avons les mêmes drames…

Mes coups, manifestement, avaient porté dans le vide. Tout ce que je pouvais dire, même de plus déplaisant, ou de plus ridicule, ne faisait que glisser sur l'eau plate de son indifférence. Je n'étais pour elle qu'un objet dont elle s'était, du moins croyais-je, promis l'acquisition. Jaugée une fois pour toutes ma valeur ne pouvait être affectée, en bien comme en mal, par rien qui vînt de moi.

Je n'eus donc d'autre ressource que la fuir. Je quittais le matin ma chambre à pas de loup, tandis qu'elle dormait, et me déplaçais de crique en crique, dès que je l'apercevais débouchant du haut des rochers. Mais ce petit jeu de cache-cache, loin de préserver le vide chéri de mon existence, y introduisait au contraire un élément de drame et de déséquilibre. Il me forçait à m'intéresser de plus en plus à elle. Et Daniel, sur ce point, se trouvait de fort mauvais conseil, fournissant par le mystère de sa propre attitude, un aliment substantiel à ma réflexion.

– Ecoute, lui dis-je un jour, rends-moi un service.

– Je veux bien la foutre dehors.

– Il ne s'agit pas de ça… Daniel, prends-la!

– Prends-la toi-même et fous-moi la paix!

– C'est un service que je te demande.

– Non, mon petit vieux, c'est un genre de service que je ne rends jamais. Couche avec elle : à ta place, je foncerais.

– Eh bien, vas-y, fonce, toi!

– Oh, non! Je n'ai plus envie de faire le moindre effort. Tu sais, même si j'en avais envie, je ne suis pas sûr que ça marcherait.

– Tu ne vas pas me faire croire que tu aurais la moindre difficulté à trancher cette petite sauteuse?

– Si. Il y a déjà pas mal de temps que j'ai décidé de ne plus courir après aucune fille. Ça m'épuise complètement. Mais toi, par contre, puisqu'elle vient à toi, prends-la. Elle est tout à fait charmante.

– Justement. J'en ai marre de ces filles insensées devant qui tout le monde s'extasie. Marre de ces filles qu'on partage. Ça me déprime.

– Oh! La perversité ça m'intéresse encore, mais rien à voir avec ce genre de petit boudin.

142

– Ecoute !

– Elle ne voudra pas de moi.

– Un peu de sérieux, Daniel !…

– Mais, je suis sérieux ! Plus un type a de filles, plus il m'est suspect. Ce qui importe, ce n'est pas de plaire, mais de déplaire. Moi, ça me flatte. C'est assez agréable de ne pas faire partie de sa collection !

– Et tu ne ferais pas un effort pour moi ?

– Oh, assez !

– Daniel, mon ami, vous m'échappez !…

Malgré ma vocation momentanée d'ermite, je ne m'étais pas complètement retranché du monde. J'acceptai, un soir, une invitation à dîner. Je ne me dissimulais pas que cette sortie, même justifiée par des raisons d'affaires, sonnait le glas de mes belles résolutions des premiers jours. Mes idées en furent pas mal clarifiées, et je commençai à mesurer l'immensité de ma bévue. La querelle, si querelle il y avait, n'était pas entre la fille et moi, mais de moi à Daniel, qui marquait visiblement des points dans l'assaut de nos ironies et de nos dissimulations. En rentrant à l'aube, j'eus le pressentiment que les jeux étaient truqués et qu'il manquait au mien une carte maîtresse, en l'espèce d'un fait précis qui allait justement, dépassant mon attente, m'être révélé à l'instant même… Haydée n'était pas dans son lit, mais dans celui de Daniel. On voyait par la porte entrouverte leurs quatre jambes mêlées.

Le lendemain, Daniel bouda ostensiblement la fille, moins pour m'égarer – car il se doutait de ma découverte – que pour m'étonner. Ce fut elle qui fit les frais de ce nouvel assaut, et elle accusa le coup beaucoup plus nettement que lors de ma propre attaque, ce qui me vexa.

En froid, maintenant, avec l'un comme avec l'autre, force lui fut de reprendre son ancienne vie et ses sorties nocturnes. S'ouvrit alors une ère d'hostilité franche qui fut celle, peut-être, où nos talents respectifs trouvèrent le mieux à s'exercer. J'aimais faire office d'accusateur public. Daniel pesait et tranchait. Quant à elle, elle se passait fort bien de défenseur.

– J'ai trouvé la définition de Haydée, disais-je : c'est une « collectionneuse ». Haydée, si tu couches à droite et à gauche, comme ça, sans préméditation, tu es à l'échelon le plus bas de l'espèce : l'exécrable ingénue… Maintenant, si tu collectionnes d'une façon suivie, avec obstination, bref, si c'est un complot, les choses changent du tout au tout.

– Oui, disait Daniel, mais elle collectionne mal.

– Je ne suis pas une collectionneuse !

– Ne dis pas ça. C'est ton seul mérite.

– C'est entièrement faux. Je cherche. Je cherche pour essayer de trouver quelque chose. Je peux me tromper.

Daniel ricanait :

– Elle ne collectionne pas : elle prend ce qu'elle trouve. D'ailleurs, elle ne sait pas ce que c'est que l'éloignement.

– Non, j'exploite. C'est peut-être n'importe quoi : le principal, c'est que, moi, j'en tire quelque chose.

– Haydée, poursuivait-il, tu racles, et finalement tu n'arrives qu'à un tas. Ça s'écroule, parce qu'il n'y a rien derrière.

– Toi aussi, tu racles !

– Moi, je suis un barbare. Si j'ai couché avec toi, c'est sans aucune intention.

– C'est complètement illogique : tu me reproches de prendre n'importe quoi, et toi, tu t'en vantes !

– Tu n'es pas barbare, tu n'as pas le droit de te conduire en barbare. Moi, si ! Il faut toujours être quelque part, en tuant quelque chose. Que j'aie couché avec toi ou non, c'est exactement la même chose. J'ai couché avec toi la première seconde où je t'ai vue.

144

– Où l'as-tu vue la première fois?

– Elle dansait. Et toi?

– Elle faisait l'amour. Elle faisait l'amour, au sens physique du terme, avec un type, sur un lit. J'avais poussé la porte et je croyais que la pièce était vide.

– Donc, tu vois, tu as couché avec elle. Tous les hommes ont couché avec elle, la salope! Cela dit, le collectionneur, c'est vraiment le pauvre type qui n'a en tête que l'additionnel. Jamais, il n'arrivera à se satisfaire à un seul objet. Il lui faudra toujours avoir un ensemble. Nous sommes bien loin de la pureté, là! Ce qui est important, c'est l'élimination, le gommage. L'idée de collection est contre l'idée de pureté…

Le sentiment que m'inspirait Haydée ces jours-là était au moins celui de la curiosité. C'était elle, en fin de compte, le pôle véritable de mon intérêt. Cette fille, que j'avais d'abord refusée, puis acceptée comme élément du décor, en devenait maintenant le centre, reléguant peu à peu Daniel aux arrière-plans. Un soir qu'elle était restée à la maison, je l'invitai à sortir. Elle accepta, et voulut entraîner Daniel qui refusa. Après une nuit sans histoire, où la plupart des filles rencontrées servirent de repoussoir à ma cavalière, l'heure et l'excitation de l'insomnie aidant, je me laissai aller à brusquer légèrement le cours des choses. Comme nous n'avions pas sommeil, je lui proposai, avant de rentrer, de faire une balade dans la montagne. Si Haydée suivait une ligne, me disais-je, elle la suivait bien. Voudrait-elle me conquérir, me faire entrer coûte que coûte dans sa collection, qu'elle ne saurait raisonnablement mieux s'y prendre. Et l'on pouvait concevoir la suite de ses attitudes et de ses actions, depuis que nous avions fait connaissance – y compris, bien entendu, son intrigue avec Daniel – comme le moyen le plus sûr, sinon le plus rapide, de provoquer en moi un intérêt pour sa personne. Elle était donc parvenue à ses fins, à supposer qu'elles fussent telles – ce que j'admettais, dis-je, bien volontiers.

Au retour, nous avions décidé d'aller nous baigner dans notre crique habituelle. C'est là que je voulus m'assurer, à mes risques et périls, de la solidité de ma construction. Je remis la conversation sur le chapitre de Daniel.

– Tu sais, lui dis-je, du ton le plus amical, qu'il est très facile à ravoir.

– Il ne m'intéresse plus.

– Il est infiniment au-dessus de tout ce que tu as pu rencontrer.

– Ici, peut-être ! De toute façon, ce sont mes affaires.

– Oui, mais que vous soyez en froid, ça me dérange.

– Ce genre de situation m'amuse. Un bonheur sans mélange m'emplit de tristesse.

– Pour une fois que tu as la chance d'être aimée par un être exceptionnel !

– De quoi te mêles-tu ?

– Ecoute, je suis venu pour vivre dans la paix, et tu la troubles.

– Si chacun vit pour soi, je ne la dérangerai pas.

– Haydée, faisons la paix !

– Nous ne sommes pas en guerre.

– Si !

– C'est toi qui, sans arrêt, relances la bataille.

– J'ai l'impression que tu interprètes comme hostile une attitude qui est fondamentalement amicale.

– J'ai la même impression avec toi.

– Donc, il n'y a pas de problème ?

– Moi, je n'en vois pas. Mais toi, tu aimes tellement te torturer l'esprit.

– Dans la mesure où tu ne m'es qu'à moitié sympathique…

146

– Nous sommes indifférents et c'est très bien. Ça n'empêche pas de vivre ensemble.

Elle est assise sur le sable, les vagues baignent ses jambes. Je suis un peu en arrière d'elle, contre un rocher. Elle se retourne vers moi, me regarde, et me sourit longuement.

– Haydée! Je me suis souvent demandé ce que voulait dire ton sourire.

– Rien.

– C'est ce que je pensais.

Il est certain maintenant qu'elle ne prendra plus le risque de faire le moindre pas vers moi. Elle me force petit à petit à m'engager, à me compromettre… Nous nous sommes endormis sur le sable l'un à côté de l'autre. Quand j'ouvre les yeux, il est plus de midi. Haydée est tout contre moi. Elle s'éveille à son tour et, comme elle s'écarte, je fais un geste pour la retenir. Elle se laisse embrasser, à demi-inconsciente, puis, comme si elle me reconnaissait soudain, elle tente de se dégager. La brusquerie de son recul m'irrite : je la maintiens ferme et il y a une courte lutte entre nous. Elle m'envoie, d'un coup de pied, du sable au visage, et se sauve. Tout en me frottant les yeux, je la poursuis sur la grève caillouteuse. Elle a du mal à courir, mais moi plus encore. Elle parvient enfin au sentier en lacets qui grimpe vers la villa. Daniel, justement, est en train de le descendre. Elle va à sa rencontre et se serre contre lui, comme pour implorer sa protection. Il l'entoure de ses bras et, d'en haut, me dévisage d'un air ironique.

– On se baigne? lui crié-je.

Mais Haydée lui chuchote à l'oreille :

– J'ai sommeil. Tu viens?

Et elle l'entraîne vers la maison…

Haydée avait remporté la première manche. Je l'avais humiliée, elle s'était vengée. Rien que de très normal. Peut-être aussi éprouvait-elle un vrai penchant pour Daniel, mais là, j'étais moins sûr. Le couple qu'ils formaient était louche. Après avoir feint la brouille, ils ne cessaient de donner des marques d'excessive tendresse. Jouaient-ils le jeu pour eux-mêmes ou pour moi ? Mais, dans ce dernier cas, pourquoi une fille si facile s'obstinait-elle à vouloir me gagner par le chemin le plus détourné, alors que mes imprudences, maintenant, lui ouvraient la voie directe ? Sans doute avais-je eu tort de chercher la logique dans ce qui se posait en termes d'instinct. Elle aimait prendre et être prise à l'improviste, elle m'en voulait de lui saper constamment l'occasion et de prétendre choisir mon moment. Sa vraie vengeance était – mais le savait-elle ? – cette mainmise opérée par elle sur ma pensée. Je lui avais laissé envahir la part de mon esprit dont j'avais voulu précisément me réserver la jouissance et l'administration totale.

Cette part, il est vrai, pour le moment, était assez mince : les affaires m'accaparaient de nouveau. Je conte ici l'histoire du moindre de mes soucis, j'en avais, ces jours-là, un de plus sérieux : celui d'organiser ma rencontre avec le collectionneur d'antiquités chinoises et, par-dessus le marché, probable commanditaire de la galerie de peinture que je voulais ouvrir à la rentré. A la suite de tout un système d'échanges et de marchandages qui me prirent pas mal de temps, j'eus enfin dans les mains un vase Song très rare, convoité par mon Américain, qui justement venait de m'annoncer sa visite prochaine.

Entre Haydée et Daniel, la situation se détériorait de nouveau, chacun entendant rompre à son avantage, mais c'est lui qui sut prendre les devants, et se réserver un baisser de rideau très dans sa manière.

C'était après dîner. Nous nous trouvions tous trois au salon, moi assis dans un fauteuil, elle allongée sur le canapé, lui accoudé à la cheminée, se regardant dans la glace, tout en frappant en cadence le carrelage de son pied. Le martellement s'accentuait à mesure que passaient les minutes. Les murs de la pièce commençaient à vibrer. J'avais laissé mon livre et j'épiais la fille plongée dans la lecture d'un Dracula quelconque, me demandant à quel moment elle se déciderait à protester.

– Arrête! dit-elle enfin.

Il continua de plus belle. Quelques bibelots se mirent à osciller.

– Arrête, reprit-elle avec impatience. Ça suffit!… J'ai rarement vu un type aussi con! Je me demande de plus en plus ce que je fais ici!

Daniel se retourna soudain :

– Silence, petite conne, tu m'énerves, tu n'as pas droit à la parole. Tu as eu la chance inouïe que nous nous intéressions à toi, tous les deux. Adrien a raison : tu vas très bien avec tous les mecs qui te sautent. J'ai eu tort de croire qu'il y avait en toi un petit quelque chose, une velléité de sortir de ton abjecte insignifiance… Haydée, ce qui m'a fasciné, c'est ton insignifiance. Je ne pense même pas que tu sois laide : et même, ce qu'il y aurait de plus acceptable en toi, c'est certains moments de laideur franche, dans les traits, dans le regard – là tu émeus parfois un tout petit peu. Mais quand tu es jolie, quand tu es « ravissante », alors là, ma petite, permets-moi de rire! Tu représentes le degré le plus bas, le plus dégradé, le plus absent de la beauté… Tu es définitivement irrécupérable : si, peut-être, pour un peintre impressionniste, et encore! Cela dit, je n'ai pas trop perdu mon temps avec toi. De toute façon, je ne perds jamais mon temps. Je m'arrête. Bonsoir.

Au moment de franchir la porte, il se retourna :

– Je pars demain : je suis invité à une croisière aux îles Seychelles.

– C'est dommage ! dis-je. Mon ami Sam, le collectionneur dont je t'avais parlé, doit venir demain après-midi.

Il haussa les épaules et sortit. Haydée qui n'avait pas daigné répondre à la diatribe, épancha son courroux :

– Complètement fou, ce petit peintre. Moi aussi, j'ai perdu assez de temps avec lui ! Je fous le camp, je ne resterai pas une minute de plus dans cette maison.

Elle prit le téléphone, composa un numéro, demanda « Félix », un ami de Rodolphe : mais il était sorti.

– Si tu as quelque part où aller, lui dis-je, je peux te conduire.

Elle ne répondit pas, fit un autre numéro : il n'y avait personne au bout du fil. Elle raccrocha avec humeur, resta un moment indécise, maussade, puis me dévisagea d'un air agressif :

– D'ailleurs, je ne pars pas. Cette maison est aussi bien la mienne que la vôtre. Je vais écrire à Rodolphe pour vous faire partir.

– Et tu crois que Rodolphe attachera la moindre importance à ce que tu dis !

– Tais-toi !…

Il y eut un long silence. Haydée gardait les yeux baissés sur son livre, mais manifestement ne lisait pas. Elle sentait que je la fixais, et ne put s'empêcher de jeter un coup d'œil vers moi. Je lui souris. Elle sourit machinalement, mais se reprit aussitôt.

– Tu peux être sûre que Daniel a passé l'après-midi à mettre au point sa petite sortie, dis-je d'une voix conciliante. Tu l'as cru ?

– Qu'elle soit vraie ou fausse, ça m'est parfaitement égal. J'ai horreur de ce genre de scènes. De toute façon, c'est fini. Je reste ici, mais je ne vous parlerai ni à l'un, ni à l'autre. Je m'installerai dans la pièce d'en face.

– Comme tu voudras !

Il y eut un nouveau silence. Elle avait laissé son livre et jouait, songeuse, avec son briquet. Je continuais à la fixer.

– Haydée, dis-je au bout d'un long moment.

Elle ne répondit pas.

– Haydée!

– Quoi? dit-elle sèchement.

– Nous avons été très méchants.

– J'ai dit que je ne parlerai pas.

Je souris.

– Ecoute, Haydée. Tes histoires avec Daniel ne me regardent pas. Mais pourquoi m'en veux-tu à moi? Qu'est-ce que je t'ai fait?

– Tais-toi! C'est toi qui as fourré des idées connes dans la tête de Daniel.

– Quelles idées? Je n'ai pas d'idées. Je n'ai pas cessé de dire du bien de toi.

– Je peux faire ma publicité toute seule!

– Ecoute, la seule chose que je te reproche, peut-être, c'est d'avoir un peu moins d'humour que je ne pensais. Je ne critique jamais que les gens que j'aime. Si je pensais vraiment du mal de toi, je n'irais pas te le dire.

Elle ne répondit pas. Je me levai, pris une bouteille de whisky, remplis deux verres et vins m'asseoir à côté d'elle, sur le canapé :

– Buvons à notre réconciliation, dis-je. Pardonne-moi, Haydée. J'ai été très méchant.

– Même pas!

– Si! Tu me pousses au crime. Et moi, je ne sais pas refuser les perches qu'on me tend. Ce qui m'irrite chez toi, ce n'est pas du tout ce que tu penses.

– Je ne pense rien.

– Oui, ce qui m'irrite, c'est que tu ne sais pas ce que tu veux. J'ai mis longtemps à m'en rendre compte.

– Il est possible que je n'*aie* pas ce que je veux mais je *sais* très bien ce que je veux.

– Et tu veux quoi?

– Avoir des rapports possibles et normaux avec les gens. Je ne sais pas comment je m'y prends, mais c'est toujours très difficile pour moi. Dans ce domaine, j'ai rarement ce que je veux… Au fond, je ne l'ai jamais eu.

– Et Daniel, tu le voulais?

– Je le voulais bien, mais pas vraiment. Je n'appelle pas ça vouloir. Ce que j'aurais aimé, c'est être amie avec lui, et peut-être avec toi.

– Avec moi : si.

– Hum!

– Tu sais, à ma manière, je t'aime bien, et même beaucoup.

– Tu ne cesses de me critiquer, et Daniel me critique à cause de toi.

– Il est très capable de se faire une opinion tout seul. Et puis il y a une chose qui a tout faussé au départ : tu amènes ici des gens impossibles.

– Je n'ai jamais amené personne!

– Et ce type, au début?

– Oh, celui-là!

– Et ceux qui viennent te chercher?

– S'ils sont assez cons pour venir me chercher, c'est leur affaire. D'ailleurs, je ne sors plus depuis quinze jours.

– Je ne dis plus rien depuis quinze jours. Je n'ai rien dit ce soir.

– Tu n'as pas pris ma défense.

– Tu sais, je suis paresseux.

– Tu serais bien content que je m'en aille?

– Pas du tout, tu es tout à fait charmante.

– Tu me trouves moche!

– Je n'ai jamais dit ça : j'ai dit qu'à ta manière tu n'étais pas mon genre. Mais, dans ton genre, tu es parfaite.

– Dans le genre inférieur ?

– Dans le genre entre les deux. D'ailleurs mon goût n'est pas forcément bon.

– Hypocrite !

Je lui pris la main, elle se laissa faire.

– Ce n'est pas de l'hypocrisie, c'est du charme. Ne crois pas que je te méprise, Haydée. Bien au contraire, je te trouve infiniment supérieure à tous tes amants.

– Ce ne sont pas mes amants. Je n'ai pas d'amants. Et si j'avais des amants, ce ne seraient pas ceux-là… Et puis, je suis libre de voir qui je veux !

– Non, tu n'es pas libre, de même que moi je ne suis pas libre de m'attaquer à une fille laide.

– Moi ?

Elle avait retiré sa main. La mienne restait sur son genou : je caressais les côtes de son pantalon de velours noir.

– Ton cas est entièrement différent. Avec des filles comme toi, j'ai toujours plus ou moins perdu mon temps. Mais tu es l'exception à la règle : je sens qu'avec toi je ne le perdrai peut-être pas tout à fait. Bref, tu es une fille dangereuse… Tu ne me crois pas, et pourtant j'ai du mal à comprendre que tu aies pu croire un seul instant que tu me déplaisais.

Mais elle n'écoutait plus :

– C'est fini pour ce soir, j'ai sommeil, dit-elle en se levant.

Elle se baissa vers moi et me donna un rapide baiser sur la joue.

– C'est ça, dis-je, allons nous coucher.

La fureur contenue de Haydée, où pour la première fois s'exhalait sa fierté blessée, la rendait, ce soir-là, infiniment désirable. Si elle avait voulu me prendre par la main et me conduire dans sa chambre, je n'aurais pas hésité un millième de seconde. Mais elle ne le fit pas. Elle ne pouvait pas le faire, avant de s'être lavée de toutes les humiliations que Daniel et moi lui avions fait subir. (De quelle façon pourrait-elle s'y prendre? Je ne le savais pas, et elle le savait moins encore.) Aussi ne fus-je pas assez sot pour essayer de la retenir, même par jeu.

– Ouf! dit-elle en s'éloignant. Quel plaisir! J'en ai fini avec vous deux!

– Avec moi, ça n'a jamais commencé.

Elle était sur le seuil. Elle se retourna :

– Si, trop!

Sam, venu à quatre heures, le lendemain, admira beaucoup le vase. Tandis qu'il est en train de l'examiner, Daniel entre au salon, sa valise à la main, et téléphone pour avoir un taxi. Je lui propose de le conduire : il élude mon offre. Sam et lui ne s'étant jamais vus, je fais les présentations. Mais Daniel refuse la main que lui tend l'Américain et éclate d'un rire méprisant :

– C'est ton « collectionneur »? Monsieur, je ne m'intéresse pas aux collectionneurs. Comme j'ai rarement l'occasion d'en voir un, je me permets de vous dire que vous êtes complètement ridicule.

– Daniel! dis-je. Ça suffit! Excusez-le. Il a comme des crises.

– Je n'aime pas les collectionneurs, poursuit-il sans se démonter. Leur vue m'est insupportable. Adrien, je n'ai pas envie d'entrer dans tes petites intrigues. Je n'ai pas besoin de flatter les gens, surtout pas ceux-là. Au revoir!

Il prend sa valise, se tourne vers Haydée, qui semble hautement priser sa « sortie », et lui fait signe :

– Viens… j'ai deux mots à te dire.

Elle se lève et le suit. Ils passent sur la terrasse. Sam, plus surpris que vexé, n'a pas perdu son flegme :

– Vos amis sont aussi toqués que vous, se contente-t-il de dire.

– Excusez-le. Il a voulu faire un éclat : c'est à la fille qu'il en veut.

– Elle est ravissante. C'est sa petite amie ?

– Non, non.

– La vôtre ?

– Non plus. Elle habite ici, couche un peu à droite et à gauche. Enfin, beaucoup. C'est une « collectionneuse ».

– Collectionneuse ? Nous avons quelque chose en commun ! Vous êtes dans sa collection ?

– Non.

– Vous devriez.

– Vous voulez y être ?

– Moi ?

– Pourquoi pas ? C'est la fille la plus facile du monde !

– Je n'aime que les filles difficiles.

– Sam ! Avouez qu'elle vous plaît.

– La question n'est pas là. Il faut que, moi, je lui plaise.

– C'est chose faite. Elle fait tout ce que je lui dis de faire.

– Toujours ce côté machiavélique chez vous !

Le taxi est arrivé. On entend la portière claquer. Sam s'avance vers la terrasse et jette un coup d'œil dehors, tandis que la voiture démarre. Il se retourne vers moi, l'air ironique, et me regarde droit dans les yeux :

– Vous me dites ça, parce qu'elle est partie avec l'autre ?

– Partie ? Non sûrement pas.

– Vous êtes sûr ?

Bien que je sache pertinemment qu'elle ne peut s'être embarquée comme ça, sans bagages, sans argent, en petite robe d'été, j'ai un moment de panique. Et s'il s'agissait d'un coup monté ? Avec Daniel, tout est possible. Non, c'est Sam qui s'amuse à mes dépens. Voici que j'entends son pas sur la terrasse et qu'elle apparaît toute nimbée de soleil, droite et digne, victime s'offrant elle-même au sacrifice.

Aussi n'eus-je aucune difficulté à lui expliquer la marche des opérations. Sam nous ayant conviés chez lui, j'allai la rejoindre dans sa chambre, tandis qu'elle se préparait :

– Ecoute, dis-je, il veut absolument nous inviter à coucher chez lui ce soir. Moi, ça m'ennuie parce que j'ai un rendez-vous très important demain matin. Mais toi tu pourrais rester. Je passerai te prendre après-demain.

– Qu'est-ce que je dois faire, au juste, avec lui?

– Ce que tu voudras. Mais ça le vexerait, si tu le refusais, surtout après la sortie de Daniel.

– En somme, je suis en prime pour le vase!

– Il n'y a pas que le vase. J'ai un grand projet de financement avec Sam, financement d'une galerie de peinture. Ce qui compte, en affaires, c'est de créer un certain climat... un climat favorable.

– J'adore rendre ce genre de service. Surtout à toi... D'ailleurs je me sens mieux en sécurité avec lui qu'avec toi.

– Ce qui peut s'entendre dans les deux sens, dis-je en déposant un baiser sur ses cheveux.

– Je n'en vois qu'un!

Et elle me rit au nez.

Bien entendu tout ce complot n'était qu'un bluff de ma part, de la part de Sam qui adorait se prêter à ce genre d'inventions, de la part de Haydée enfin dont la promptitude à me suivre m'avait ravi – et resserrait nos liens mille fois mieux que nos confidences truquées de la veille. La soirée fut sans histoire et, le moment venu, chacun récita scrupuleusement le rôle appris. A trois heures du matin, je m'avisai que je devais partir.

– Il est tard, dis-je en me levant. J'ai un rendez-vous à Nice tout à l'heure.

– Restez, dit Sam, j'ai une chambre pour vous.

– C'est très gentil, mais j'ai horreur de ne dormir que deux ou trois heures. Je préfère passer une nuit blanche. Et puis la route est assez longue, d'autant plus qu'il faut que je fasse un détour pour raccompagner notre amie.

– Mais je garde Haydée! Vous, faites ce que vous voulez.

Je me tournai vers elle :

– Ça ne t'ennuie pas?

– Pas du tout!

Et elle gratifia Sam de son beau sourire enjôleur. Il était aux anges. Tout allait bien, trop bien… Je pris congé, et Sam m'invita à dîner, non pas pour le soir même, « car j'aurai probablement besoin de dormir », mais le lendemain.

A Nice, j'avais effectivement un coup d'œil à jeter sur une vente, mais qui n'offrait rien d'intéressant. Cela toutefois m'occupa et me dispensa de penser. De retour à la villa, en fin de journée, je me jetai sur mon lit et dormis d'une traite jusque tard dans la matinée. Mais une fois levé, je ne tins plus en place. Je pris prétexte de quelques courses sans urgence pour aller en ville et traîner de café en café jusqu'à la fin de l'après-midi. Pour la première fois depuis mon arrivée, je m'ennuyais et, cela étant, je préférais m'ennuyer dehors plutôt qu'à la maison. J'éprouvais une impatience aiguë de revoir Sam et Haydée, tout en sachant que je n'aurais rien à découvrir, car, ou bien ils me cacheraient la vérité, ou bien il ne se serait rien passé du tout. Mais le plaisir qu'ils avaient pris l'un et l'autre à entrer dans le jeu m'irritait. C'étaient eux qui se trouvaient maintenant au centre des événements, même si l'événement faisait défaut, et moi en exil. Cela me rendait jaloux et je sentais le ridicule qu'il y avait à l'être si peu que ce fût. Que Haydée puisse me manquer de quelque manière, je n'étais certainement pas près de l'admettre, et pourtant je la sentais plus proche de moi que jamais, impossible à confondre dans la masse des autres filles que j'aurais toutes, ce soir-là, rejetées, à l'exception d'elle, dans les ténèbres extérieures.

Et, quand arriva l'heure du départ pour la villa de Sam, j'étais dans le même état de hargne contre moi-même et le reste du monde. Un touriste m'ayant demandé sa route dans un français incertain, je répondis de si méchante façon que j'en eus honte, et ma mauvaise humeur s'accrut d'autant. Mais ce qui aurait dû la porter à son comble, au contraire, me dérida un peu. Sam et Haydée m'accueillirent souriants et la main dans la main, comme de parfaits amoureux. Cela sentait la comédie à cent lieues et la suite de la soirée me fortifia dans l'idée que notre hôte n'avait pas dû obtenir satisfaction. Son agressivité marquait plus le dépit d'avoir été grugé que l'arrogance du triomphe. Il s'ingénia à me poursuivre sur ce qu'il jugeait mes points faibles, croyant ainsi m'humilier devant la fille. Comme il me reprochait mon indolence, je me lançai dans une justification paradoxale de l'oisiveté :

– Ne rien faire et penser en ne faisant rien, c'est éreintant. Le travail est plus facile : on suit une pente. Il y a une paresse du travail. Ce travail est une fuite en avant, une espèce de bonne conscience qu'on s'achète.

– En ce sens, vous êtes l'être le moins paresseux que je connaisse !

– Il y a plus de dix ans que je n'ai pas pris de vacances.

– Bien sûr, vos vacances sont permanentes !… Ce qui m'amuse le plus chez vous, Adrien, c'est que vous voulez toujours vous justifier.

– Non, contrairement à ce que vous pensez, je n'ai pas du tout mauvaise conscience.

– Vous êtes un menteur : vous avez mauvaise conscience de n'avoir pas d'argent.

– Ecoutez, Sam, vous avez déjà entendu parler des Tarahumaras [1]. Quand les Indiens Tarahumaras descendent dans les villes, ils mendient. Ils s'arrêtent devant les portes des maisons, ils se mettent de profil, avec un air de mépris souverain. Qu'on leur donne ou qu'on ne leur donne pas, ils se retirent toujours au bout d'un même laps de temps, sans dire merci… Moi, quand je mendie, c'est de profil. D'ailleurs, on est toujours esclave des autres. Je trouve moins déshonorant de loger chez un ami que d'être appointé par l'Etat. La plupart des gens qui travaillent aujourd'hui font un travail superflu. Les trois quarts des activités sont des activités parasitaires. Ce n'est pas moi qui suis un parasite : c'est le bureaucrate et même le technicien.

– Vous êtes un nostalgique de l'ancien temps. Moi, j'aime le monde moderne.

– Mais je suis aussi moderne que vous, Sam. Seulement ce qui compte dans le temps qui vient, ce n'est pas le travail, c'est la paresse. Tout le monde s'accorde pour dire que le travail n'est qu'un moyen. On parle d'une civilisation du loisir : quand on y arrivera, on aura perdu tout sens du loisir. Il y a des gens qui travaillent quarante ans pour se reposer ensuite – et, quand ils tiennent enfin le repos, ils ne savent qu'en faire et meurent. Sincèrement, je crois que je sers mieux la cause de l'humanité en paressant qu'en travaillant : il faut avoir le courage de ne pas travailler.

– Plus de courage que pour aller dans la lune ?

– Evidemment, on peut aussi aller sur la lune. C'est à la fois fascinant et méprisable.

– Aller dans la lune, Adrien, pour vous, c'est être riche, et vous pouvez être riche. Cela m'afflige que vous ne fassiez aucun effort pour sortir de votre médiocrité.

1. Adrien fait allusion à un texte d'Antonin Artaud.

– Et qui vous prouve que je ne serai pas riche ? J'ai toujours regretté de ne l'être pas… Mais, si je l'étais, ce que vous appelez mon « dandysme » serait de la facilité. Ça manquerait totalement d'héroïsme. Or, je ne conçois pas un dandy sans héroïsme.

Pendant cette conversation, Haydée, affalée sur le divan, s'absorbait dans ses mots croisés, se contentant de jeter par intervalles de brefs coups d'œil vers nous. Sam lui ayant demandé ce qu'elle pensait de la question, elle répondit que ce que je disais était toujours faux et qu'on serait bien naïf d'y prêter attention. Elle se leva alors pour remplir son verre et passa tout près de lui. Il la prit par la taille puis, s'enhardissant, lui caressa la cuisse et glissa sa main sous sa robe. Elle se dégagea assez vivement et, comme il essayait de la retenir, s'enfuit vers le fond de la pièce. Et d'une façon inattendue, absurde, ce fut le drame…

Sur un petit guéridon était posé le vase de Chine, dont Sam venait de faire, grâce à moi, l'acquisition. Haydée s'y agrippe, tout en narguant son poursuivant. Le vase se balance dangereusement et elle ne fait rien pour prévenir sa chute. On dirait même qu'elle la provoque.

– Attention ! crie-t-il.

Trop tard : le vase tombe et se brise sur le carrelage. Haydée, un instant interloquée, éclate d'un rire nerveux. Mais déjà Sam est sur elle et lui applique une gifle retentissante. Elle crie et se sauve.

– Elle est insortable, dis-je, ne sachant où me mettre.

Le désespoir de mon collectionneur l'emporte sur sa colère. Il me fait pitié, et je veux l'aider à ramasser les débris du vase. Il me renvoie, en me disant d'une voix éteinte qu'une chambre m'est réservée au premier étage.

Je retrouvai Haydée dans la salle de bains, en train de se tamponner la joue avec de l'eau froide.

– Haydée!

Elle se retourna en riant.

– Et tu ris! dis-je.

Elle continuait à rire. Je m'indignai :

– On ne casse pas un vase Song!

– Je casse ce que je veux. Et d'ailleurs, il te l'a payé.

– On ne casse pas un vase Song! repris-je.

– Je ne l'ai pas fait exprès! dit-elle d'un petit air triste et si bien joué que je ne pus réprimer un sourire.

Elle pointa son doigt vers moi :

– Toi aussi, tu ris!

– Ma chère Haydée, un vrai collectionneur t'aurait tuée. Tu es impossible, j'aurais dû me méfier de toi. Je savais bien que tu étais insortable.

– Tu n'avais pas à me laisser deux jours avec lui.

– Qu'est-ce qu'il t'a fait?

– Rien.

– Il t'a embêtée?

– Pas du tout. Il m'a emmenée faire du bateau. Hier soir, on est allés au casino. Très charmant...

– C'est qu'il n'ait rien tenté qui te vexe?

– Si je te disais que j'ai couché avec lui, tu me croirais?

– De toi, je croirais tout. Je sais bien que, si tu dis oui, ça veut probablement dire non, mais que ça peut dire oui, aussi.

Je m'approchai d'elle et l'embrassai dans le cou très amoureusement. Elle se laissait faire, avec un plaisir certain. Je lui dis à l'oreille :

– Tu es une petite salope sans morale.

Elle pouffa :

– Ce qui est sûr, c'est que ce n'est pas ta morale que je suivrai!

– Moi, non plus : j'ai envie de faire une entorse à ma morale, ce soir.

Je la pris dans mes bras et j'étreignis son corps magnifique. Elle releva la tête et me tendit sa bouche. Je cessai de penser. Seul, l'inconfort de notre position pouvait m'empêcher d'être tout entier aux délices de l'instant :

– Si on montait?

– Non, dit-elle, rentrons.

Sur le trajet du retour l'air frais du petit matin continua d'entretenir mon exaltation. Ma victoire était ma défaite. Cette fille aurait été la plus forte. Ce qui me ravissait, ce n'est pas que je fusse arrivé à mes fins, mais qu'elle le fût aux siennes, du moins celles que je lui supposais. Elle avait vaillamment franchi les obstacles que j'avais mis sous ses pas et qui n'avaient fait que renforcer sa résolution. J'en revenais encore à ma théorie. Tout se passait comme si elle n'avait agi, depuis trois semaines, qu'en fonction de moi et de ma possession. Daniel, Sam, et maintenant le vase brisé, autant de jalons pour elle dans la conquête de ma précieuse personne. La forteresse de moralisme dont je me protégeais jusqu'ici s'écroulait. Puisque j'étais venu dans la maison de Rodolphe pour chercher l'agrément, pourquoi, dans les huit jours qui me restaient à y vivre, ne pas rendre le plus agréables possible mes rapports avec Haydée? La perspective d'une liaison aussi nettement située dans l'espace et le temps comblait mes vœux secrets d'aventure absolue : une semaine, justement, c'était la durée idéale à quoi j'aurais aimé borner mes amours occasionnelles jusque-là condamnées à n'être que d'un soir, ou à se perdre dans les sables...

Dans la traversée de Gassin, un cabriolet venu en sens inverse m'empêcha de doubler un camion à l'arrêt. Je stoppai et les deux garçons qui étaient dans la voiture, reconnurent Haydée. Ils s'arrêtèrent quelques mètres derrière moi, et elle descendit leur dire bonjour. Ils allaient en Italie, à telle adresse ; elle revint prendre son sac pour la noter. J'entendais qu'ils essayaient de la convaincre de les suivre : si elle n'avait rien à se mettre, ils lui prêteraient leurs chemises.

Mais le camion partait et je dus m'avancer pour laisser le passage à une voiture qui était arrivée derrière moi. Au moment même où je démarrai, je n'avais d'autre intention que dégager la route, et couper court aux atermoiements de Haydée. Mais, très vite, je compris que je ne m'arrêterais pas et que j'étais en train de prendre, pour la première fois, la décision vraie…

Cette histoire est celle de mes revirements. Ma rêverie s'effaçait d'un coup, pour faire place à celle dont je m'étais bercé les premiers instants de mon séjour. Ce fameux plan de vacances, voilà maintenant l'occasion de le réaliser ! Le calme, la solitude, je les avais enfin à discrétion. Ils ne m'étaient pas seulement donnés. Je me les donnais à moi-même par une décision où s'affirmait enfin ma liberté. Je jouissais de ma victoire, en attribuant à moi seul, et non plus au hasard, le mérite. Je me laissais envahir par le sentiment d'une indépendance délicieuse, d'une totale disposition de moi-même…

Mais quand je fus de retour, dans le vide et le silence de la grande maison, une angoisse m'étreignit, je ne pus dormir. Au bout d'une heure, je décrochai le téléphone, et m'enquis des départs d'avions pour Londres.

V

Le Genou de Claire

Lundi, 29 juin – Annecy, le lac. Jérôme dirige son canot à moteur vers le canal du Vassé. Du haut du pont des Amours, Aurora, accoudée au parapet, le regarde venir. Quand il passe sous le pont, elle change de côté. Jérôme, qui amorce un virage pour accoster, l'a aperçue. Il débarque et court à sa rencontre :

– Aurora !

– Jérôme !

– Tu vois, tout est possible : quand j'ai traversé Paris, l'autre jour, je comptais te rencontrer à chaque coin de rue, mais ici non !

– Je prends des vacances. J'ai trouvé une chambre, chez des gens, à Talloires.

– A Talloires ! Mais alors nous sommes voisins. J'ai une maison où je passais mes vacances, quand j'étais petit, et je suis venu pour la vendre. Je compte rester trois semaines. C'est extraordinaire : tu sais que je t'ai cherchée dans le monde entier, impossible de trouver ton adresse. Tu n'es plus à Paris ?

– Si, mais j'ai déménagé. Tu es toujours au Maroc?

– Non, en Suède. Mais qu'est-ce que tu fais là sur ce pont? Tu sais qu'il s'appelle le pont des Amours?

– Mon marc de café m'avait prédit une rencontre. Et ce n'était que toi! Si je ne t'avais pas appelé, tu ne m'aurais pas reconnue. J'ai tant changé?

– Non, pas du tout. Tu es plus belle et plus jeune que jamais. Mais d'une part je conduisais, et d'autre part je ne regarde plus les dames : je vais me marier. Je te raconterai tout ça : déjeunons ensemble. Je te ramènerai, si tu n'as pas trop peur…

La villa de Madame W…, chez qui loge Aurora, s'élève au bord du lac, séparée de l'eau par une pelouse. La partie droite est faite d'un bâtiment en rez-de-chaussée, abritant une vaste salle de séjour avec loggia, et dont le toit se prolonge, de part et d'autre, en véranda. La partie gauche comporte un étage donnant sur un balcon de bois dans le style savoyard, à demi dissimulé par le feuillage d'un cerisier.

Madame W… connaît Jérôme de vue, et sa famille. Elle a joué avec lui quand il était gamin. La dernière fois, il devait avoir onze ans, et elle quinze. Jérôme dit qu'effectivement il se souvient de ses frères à elle, mais qu'à cet âge-là, il ne s'intéressait pas aux filles, sauf, se rappelle-t-il, une petite blonde de huit ans, qui était sa protégée et qu'on surnommait Poupinette : « En somme, commente Aurora, tu n'as pas changé. Tu cours toujours après les petites filles. »

Sur ce, entre Laura, la fille de Madame W…, son cartable sous le bras. Ce sont ses derniers jours de classe. Elle est en première, elle a seize ans. Elle est vive, rieuse, parle beaucoup, en regardant droit dans les yeux. Jérôme est, bien entendu, l'objet de son attention. Elle dit qu'elle connaît sa maison, car elle s'était liée, il y a quelques années de cela, avec les filles des locataires : « Nous jouions à cache-cache et nous avons mangé toutes les poires du jardin. C'est une très belle maison, j'espère qu'on ne va pas la démolir. »

Jérôme la rassure, puis, tandis qu'on prend le thé, raconte qu'il a connu Aurora à Bucarest, il y a six ans, lorsqu'il était attaché culturel. Ils s'étaient perdus de vue et leur rencontre, ici, est stupéfiante. Aurora lui reproche d'avoir très vite cessé de lui écrire. Il répond que ça l'intimidait d'« écrire à un écrivain », car elle est romancière.

– Alors, dit Jérôme à Laura qui n'a cessé de le fixer et de boire ses paroles, vous êtes en vacances ?

– Presque, on finit demain.

– Moi, je m'arrangeais pour faire sauter les derniers jours.

– Moi, non, au contraire. On a projeté de faire une blague au prof. C'est une vieille fille, pas seulement vieille, mauvaise ! Elle n'est contente que quand elle nous a fait pleurer.

– Voyons ! dit la mère.

– Il faut voir comme, à ce moment-là, elle sourit, se tortille, c'est répugnant. Elle est mauvaise, je dis bien *mauvaise*, et nous lui ferons une blague *mauvaise*…

– Vraiment, elle vous a fait pleurer ?

– Moi, non. D'abord je ne pleure jamais devant les autres.

– Le spectacle d'une fille qui pleure me désarme tout à fait, surtout quand elle est jolie.

– Donc, dit Aurora, tu fais pleurer les moches ?

– Ni les moches, ni les jolies.

– Si, un peu, pour voir. Tu n'as pas honte de dévoiler comme ça tes noirceurs !

Mardi, 30 juin – La maison de Jérôme est située dans le bourg. C'est une vaste demeure bourgeoise du XVIIIe siècle,

169

sans ornements, murs crépis, volets verts. Derrière elle, s'étend un jardin en terrasses et, derrière le jardin, un champ en friche, ancien vignoble.

Aurora, en visite, admire le salon, orné de peintures naïves faites par un soldat espagnol, pendant l'occupation de la Savoie.

– Là, dit Jérôme, c'est Don Quichotte, sur son cheval de bois. Il s'imagine qu'il monte dans les airs. On lui a bandé les yeux : le soufflet donne l'illusion du vent, et la torche du soleil.

– C'est une allégorie, commente la romancière. Les héros d'une histoire ont toujours les yeux bandés. Sinon ils ne feraient plus rien, l'action s'arrêterait. Au fond, tout le monde a un bandeau sur les yeux, ou du moins des œillères.

– Sauf toi, puisque tu écris.

– Oui, quand j'écris, je suis obligée de garder les yeux ouverts.

– Et tu manies le soufflet ?

– Ah non. Ce n'est pas moi qui souffle : ce sont les impulsions du héros. Ou, si tu préfères, sa logique.

– Mais toi aussi, un peu.

– Moi non. Je me contente d'observer. Je n'invente jamais, je découvre…

On passe dans la chambre à coucher, vaste pièce meublée d'un lit à colonnes. C'est là que se tient Jérôme le plus souvent. Sur une table, en évidence, le portrait d'une jeune femme de vingt-cinq ans. C'est Lucinde, fille d'un diplomate, qu'il a connue à Bucarest. Il avait eu avec elle une liaison pleine d'orages, et Aurora s'étonne qu'il lui soit resté fidèle. Il lui explique qu'ils se sont quittés dans l'intervalle, puis retrouvés, et qu'il compte l'épouser dès son retour à Stockholm, le mois suivant :

– Jusque-là, j'étais assez contre le mariage, en ce qui

me concerne, mais puisque, malgré tous nos efforts pour nous quitter, nous n'y sommes pas parvenus, c'est qu'il faut rester ensemble. Si je l'épouse, c'est que je sais par expérience que je peux vivre avec elle. Je constate un fait, et je ne me dicte aucune obligation. Une chose qui est un plaisir, j'aime la faire par plaisir. Je ne vois pas pourquoi je me lierais à une femme, si les autres continuent à m'intéresser. Depuis que je connais Lucinde, je lui ai fait – elle m'a fait – pas mal d'infidélités, et j'ai eu le temps de m'apercevoir que toutes les autres femmes me sont indifférentes. Je n'arrive même plus à les distinguer les unes des autres. Elles sont équivalentes, égales, à part celles que, comme toi, j'aime d'amitié... Et toi ? Où en sont tes amours ?

Mais Aurora n'a rien à dire, ou ne veut rien dire. Depuis plus d'un an, elle vit seule. Elle y trouve son plaisir, et, de même que Jérôme, aime à suivre son plaisir.

Puis ils descendent au jardin. La terrasse supérieure est traversée d'une allée de catalpas menant à une plate-forme circulaire. Celle-ci est bordée d'un parapet et d'une ceinture d'ifs dans les intervalles desquels on aperçoit, en contrebas, les courts d'un club de tennis.

– Laura vient jouer ici, dit Aurora. Tu la verras peut-être à cinq heures. Je te dis ça, parce que je me souviens d'un vieux projet de roman que j'ai abandonné. C'était l'histoire d'un homme de trente ou quarante ans, plutôt digne, dont la tranquillité est troublée par deux adolescentes jouant au tennis dans la propriété voisine. Elles envoient un jour une balle dans son parc. Il ne sait quelle idée le prend de mettre la balle dans sa poche et, quand les jeunes filles viennent sonner à sa porte, de faire semblant de la chercher avec elles, puis, une fois qu'elles sont reparties penaudes, de se glisser dans une autre propriété – qui serait, par exemple, là-bas dans le tertain à bâtir – pour

171

aller la relancer sur le court. Or c'est le jardin d'une vieille dame impotente, bien incapable de ces espiègleries, et ça intrigue beaucoup les filles. Ce petit manège se répète trois ou quatre fois, et entraîne cet homme, jusque-là très austère, sur la pente de la folie la plus totale… Mais je ne savais comment finir. Tu m'as donné une idée, j'ai envie de reprendre cette histoire.

Ils repartent en direction de la maison. Aurora prend un air mystérieux :

– Je ne devrais pas te le dire, mais puisque tu es si bien cuirassé… Tu ne sais pas ? Laura est amoureuse de toi.

– Ah, c'est ça ton roman ?

– Non, elle me l'a dit.

– Si elle te l'a dit, ce n'est pas très sérieux. Après tout, si ça t'inspire !

– Je suis sûre que tu t'en es déjà aperçu, rien qu'à sa façon de te regarder.

– Elle me regardait très ingénument.

– Il n'y a plus d'ingénues !

– Mais si ! C'est une gamine qui a l'air directe et simple : c'est ce qui la rend sympathique. Si je devais remarquer les émois amoureux de toutes les petites filles, je n'en finirais pas ! Après tout, c'est ton métier d'observer.

– Ça ne fait même pas une bonne histoire : c'est éculé.

– Dis-le : je ne t'inspire pas.

– C'est vrai, je n'ai jamais eu envie de me servir de ton personnage.

– Parce qu'il est fade ?

– Oui, mais on peut écrire de bonnes histoires avec des personnages insignifiants. Cela dit, il est rare que je m'inspire des choses présentes.

– En général, je suis absent.

Elle rit :

– Eh bien, tu ne m'as pas inspirée quand même ! Tu

coucherais avec une écolière, la veille de ton mariage, que ce ne serait pas pour autant une bonne histoire.

– Et si je ne couche pas?

– L'histoire serait meilleure. Il n'est même pas nécessaire qu'il se passe quelque chose. Au fond, il y a déjà un sujet. Il y a toujours un sujet : si on traitait tous les sujets!... Ce sujet me touche, mais il me touche trop. Une chose dont je suis incapable, c'est de raconter ma vie : je me suis déjà trouvée dans des situations semblables.

– Ah!

– J'ai pu m'intéresser à des garçons plus jeunes que moi, et mon histoire ressemble à la tienne dans la mesure où je ne suis pas allée jusqu'au bout – je veux dire que je n'ai jamais été amoureuse d'eux. Je pourrais très bien raconter la chose par référence à moi, en la transposant.

– Transpose, et ne compte pas sur moi.

– Tu as peur? Tu ne risques rien : elle reculera au dernier moment. C'est une gentille allumeuse. Je sais ce que c'est : je l'ai été moi-même. Ton seul risque, c'est de l'avoir toujours sur le dos...

Mercredi, 1er juillet – Jérôme est en visite chez Aurora. Sa chambre est au premier étage, et donne sur le balcon.

– Tu es bien, là, dit-il, tu es au calme.

– En fait, c'est trop beau pour bien travailler.

Il désigne la feuille engagée dans la machine à écrire :

– C'est notre histoire?

– Pour que je l'écrive, il faut d'abord qu'elle ait lieu.

– Et comme elle n'aura pas lieu!

– Il se passera toujours quelque chose, ne fût-ce que ton refus que quelque chose se passe.

– De sorte que je serai toujours ton cobaye!

La chambre est exiguë. Jérôme propose à Aurora de venir loger chez lui. C'est plus vaste, et elle pourra l'« obser-

ver » à loisir. Elle le remercie, mais d'abord elle s'est engagée auprès de Madame W..., d'autre part elle apprécie l'occasion d'être introduite dans une famille française. A Paris,
elle ne voit que des écrivains. Enfin, elle peut vivre avec
des gens comme tout le monde... « Et puis, ajoute-t-elle,
en passant ses deux bras autour du cou de Jérôme, comment veux-tu que je me risque à habiter avec toi, toute
seule, dans ta maison : tu sais bien que je t'adore. »

Ils descendent au rez-de-chaussée par l'escalier de la
loggia :

– Tu vois, dit Aurora, je suis presque toujours seule. La
mère travaille à Annecy et les filles, je suppose, seront la
plupart du temps en vadrouille.

Il s'approche d'une photographie, posée sur la cheminée :

– Qui est-ce ?

– C'est Claire, l'autre fille.

– Elles ne se ressemblent pas.

– Elles ne sont pas sœurs. Comment la trouves-tu ?

– Oh, écoute, assez !

Ils passent sur la pelouse, au bord du lac, et cherchant
des sièges aperçoivent Laura, assise par terre, au pied d'un
fauteuil.

– Bonjour ! dit-elle, rieuse et provocante.

– Tu étais là ?

– Ben, je suis en vacances. C'est pas trop tôt !

Aurora propose une salade de fruits, mais elle ne veut
pas qu'on l'aide : c'est une recette secrète. Jérôme reste
seul avec Laura qui le dévisage en riant. Il garde son sérieux,
et la scrute d'un œil critique :

– Ce sont les vacances qui vous rendent gaie ?

– Non, pas les vacances, puisque je reste ici : c'est
pire que pendant l'année : tous mes amis s'en vont. Le
mois prochain, heureusement, j'irai dans une famille, à

174

Cheltenham, en Angleterre. En fait, je ne suis pas triste. C'est différent : ce sont les vacances qui m'attristent. Pour moi, les vacances, c'est partir, bouger, ce n'est pas rester en place. Et puis, de toute façon, il faut que j'attende l'arrivée de Claire.

– Claire ?

– Claire, c'est ma sœur. A vrai dire, ce n'est pas ma sœur : ma mère s'est remariée avec le père de Claire. Mon père, lui, est mort. Elle arrive dans quelques jours, nous nous aimons beaucoup… C'est dommage que maman ait divorcé.

– Divorcé du… père de Claire ?

– Oui, oui, oui. Ma mère a eu deux maris : et maintenant elle est toute seule !

Aurora revient, apportant les rafraîchissements.

– Laura est triste, dit Jérôme, à cause des vacances. Je la comprends. Moi, ce qui m'attriste, c'est le retour sur les lieux de mon enfance. Au début, ici, j'étais oppressé : j'ai failli repartir. J'ai tant de souvenirs !

– Et tu ne veux rien y ajouter ? demanda Aurora.

– Certainement pas !

– Et la Suède, dit Laura, vous l'aimez ?

– Oui, je l'aime beaucoup, mais ce n'est pas tant le pays qui m'attire, c'est…

– C'est le climat, tranche Aurora. Je sais, le « climat » te convient, tu l'as dit mille fois. Mais, de grâce, parlons d'autre chose que de ton « climat » !

Jeudi, 2 juillet – Jérôme est venu chercher Aurora. Au cours d'une promenade sur les rives du lac, il la blâme de l'avoir empêché de parler, devant Laura, de son prochain mariage. Elle nie avec une mauvaise foi flagrante :

– Je n'ai rien empêché du tout, mon vieux ! Qu'est-ce que c'est que cette histoire ?

– Tu sais très bien. Tu m'as coupé, et tu as parlé de mon « climat ».

– Mais, c'est vrai ! Tu aimes le froid, la chaleur ne te vaut rien.

– Ecoute, ça suffit !

– Pourquoi parler de mariage ? Tu crois que ça intéresse ces gens-là ?

– Le rôle de cobaye ne me convient pas du tout. Je ne sais pas ce que tu as dit à cette petite, mais, dès que je la vois, je parle.

– Mais parle !

Vendredi, 3 juillet – Jérôme, qui prend son café chez les W… réussit à placer l'annonce de son mariage :

– Si je me fixe en Suède, c'est pour des raisons toutes personnelles : je me marie le mois prochain.

– Moi-même, je n'étais pas dans la confidence, dit Aurora, tout en guettant les réactions de Laura.

– Lucinde, qui travaille pour l'Unicef, est actuellement en mission en Afrique.

– Ce doit être pénible pour vous, cette séparation, surtout en ce moment, dit Madame W…

– Ils n'en seront que plus heureux de se retrouver, dit Aurora. Ils ont l'habitude.

– Oui, nous nous connaissons depuis six ans, et nous avons été souvent séparés.

– Et vous ne le serez plus, j'espère ?

– Non, ou si peu…

– Et les petites séparations, n'est-ce pas, dit Aurora, resserrent les liens !

– C'est possible, dit Madame W… Je dois être trop exclusive. Personnellement, je ne supporte pas l'absence, et voilà pourquoi je me retrouve seule, après deux mariages !

176

– Mais papa est mort, dit Laura avec humeur. C'est tout différent !

– Qu'il soit mort ou parti, n'empêche que je suis seule.

– Ce n'est tout de même pas ta faute !

– Mais je n'ai pas dit que c'était ma faute ! Il faut toujours qu'elle me contredise !... Je n'ai pas la vie que je mérite. Je suis seule, et j'ai besoin d'aimer. Ma sottise, si sottise il y a, ç'a été peut-être de trop croire à l'Amour. Toi, tu seras plus heureuse : tu n'y crois pas.

– Moi ?

– Oui, toi et les gens de ton âge. Pour vous, l'amour est un sentiment périmé.

– Je n'ai jamais dit ça ! Et je me fiche bien de ce que pensent les autres. Si les filles sont idiotes, maman, ce n'est tout de même pas ma faute !... Et puis, ce n'est pas vrai. De ton temps, il n'y avait pas plus d'amour qu'aujourd'hui. Un peu plus d'hypocrisie, peut-être, c'est tout. Il y a des moments où j'ai l'impression que tu dis n'importe quoi !

– Laura ! Voyez comme elle me traite !

– Je n'aime pas parler pour ne rien dire. Et puis, zut ! Ce n'est pas une conversation pour moi. Je n'y connais rien.

Elle quitte la table et court vers le fond du jardin. Madame W... attribue la mauvaise humeur de Laura à son refus de la laisser partir en voyage avec des camarades :

– Excusez-la. Je ne sais pas ce qu'elle a aujourd'hui. C'est la première fois qu'elle fait un éclat devant tout le monde. Je crois qu'elle s'ennuie, ses camarades sont partis. Elle aurait aimé aller en Corse avec une petite bande. Je n'ai pas envie de la laisser toute seule, si loin. D'autant plus que sa sœur arrive dans quelques jours et qu'elle ira passer le mois d'août en Angleterre. Vous voyez qu'elle a de quoi se distraire...

Elle regarde sa montre :

– Oh là là, deux heures dix, dit-elle en se levant. Je vais

177

être en retard au bureau. Aurora, soyez gentille de lui rappeler la course qu'elle doit faire à trois heures.

Quand elle s'est éloignée, Jérôme s'en prend à Aurora :

– Je te remercie beaucoup !

– Tu devrais aller la consoler, assure-t-elle. Tu as le prétexte de lui rappeler la commission.

Le jardin se prolonge vers le Nord, le long du lac, en une prairie plantée de noyers. Laura s'est assise au bord de l'eau. Elle jette à un cygne des miettes du biscuit qu'elle a emporté en se levant de table. Quand elle entend arriver Jérôme, elle lève la tête vers lui et la détourne aussitôt. Il s'arrête :

– Je viens vous rappeler la commission pour votre mère, à trois heures.

– C'est elle qui vous envoie ici ?

– Non, c'est Aurora… C'est bien, ce coin. C'est « votre » coin ?

– Oui, quand les gens m'ennuient… mais je ne parle pas de vous… ni de maman : on s'adore, mais elle a toujours la manie de déformer ce que je dis.

– Mais non. Elle a été très charmante, elle vous a excusée très gentiment.

– Elle n'a pas dit que j'avais mauvais caractère ?

– Non, pas du tout. Elle a même dit beaucoup de bien de vous.

– Je sais. Devant les autres, elle est très fière de moi. Mais, quand je suis là, elle me donne toujours tort. C'est son caractère : il faut qu'elle contredise les gens. En général, je lui donne raison pour être tranquille, parce que de toute façon c'est ma mère, et, si je me mets à discuter, je serai bien obligée de lui céder à la fin. A part ça, on s'entend bien, je l'aime beaucoup.

– Mais elle aussi.

– Je n'aurais pas dû partir comme ça devant tout le

178

monde. Je l'ai sûrement vexée. Qu'est-ce qu'elle a dit?

– Je ne sais pas : que vous lui en vouliez parce qu'elle vous avait refusé d'aller en Corse.

– Mais elle sait très bien que c'est faux! C'est moi qui n'ai pas voulu. Vous savez, je ne me déplais pas du tout, ici. Seulement, c'est un peu oppressant. Quand je m'ennuie, j'aimerais mieux m'ennuyer n'importe où, plutôt qu'ici. Tous mes amis sont partis : je me demande si je ne ferais pas mieux d'aller en Corse, en fin de compte.

– C'est curieux, dit Jérôme, je ressens une impression exactement contraire, ces jours-ci. Quand tout est beau autour de moi, je ne peux pas m'ennuyer.

– C'est beau, oui. Mais ce paysage m'étouffe.

– Eh bien, grimpez là-haut!

– Quand j'étais petite, avec Claire, nous étions toujours sur la montagne.

– Moi aussi, je connais des tas de coins. Je vous emmènerai faire une balade, un de ces jours. Ça ne vous fait pas peur de grimper?

– Non, pas du tout. Mais ce n'est pas tant le côté fermé, encaissé qui m'oppresse : c'est trop beau, c'est toute cette beauté qui fatigue à la longue, qui écœure presque. Il faut s'en séparer de temps en temps.

– Ah! Voyez ce que je vous disais! Quand on s'aime, il faut se quitter de temps en temps.

– Exactement!... Mais ne laissons pas Aurora toute seule...

Elle se lève, part en courant, s'arrête au bout de quelques pas et se retourne. Il la rejoint et prend la main qu'elle lui tend. Ils marchent quelque temps la main dans la main, puis, d'un geste vif, elle se dégage et court en avant.

Samedi, 4 juillet – Jérôme, en canot, accoste chez les W... Laura vient à sa rencontre. Elle lui apprend qu'Aurora n'est pas là. Des amis sont venus la chercher en voiture et l'ont emmenée à Genève. Elle rentrera dans cinq ou six jours : « Alors, tu restes seule, dit-il, tu vas t'ennuyer. Qu'est-ce que tu lis ? C'est intéressant ? Si tu veux des bouquins, j'en ai plein chez moi. Tu viens ? »

Laura, chez Jérôme, s'est arrêtée devant la photo de Lucinde.

– Elle est très belle, mais dure. Je vous voyais avec une femme moins froide.

– Tu trouves que nous ne formons pas un couple assorti ?

– Pas tellement, à première vue.

– Au fond, tu as raison. Lucinde n'est pas mon type physique. D'ailleurs, je n'ai pas de type. Pour moi, le physique ne compte pas. Du moins, franchi un certain degré, disons, d'« acceptabilité », toutes les femmes se valent. Seul, le moral tranche.

– Oui, mais le moral se voit dans le physique.

– Tu vois quoi ?

– Que vous êtes différents moralement.

– Tu insistes ! Tu as raison. Quand j'avais ton âge, je m'étais forgé un type de femme idéale qui n'était pas du tout celui de Lucinde. Physiquement ou moralement je n'ai pas tellement l'impression qu'elle soit « faite » pour moi. Et puis après ? Une femme faite pour moi m'ennuie, elle ne m'apporte rien, elle me lasse. Si j'épouse Lucinde, c'est pour cette simple et unique raison que, depuis six ans, je ne me suis pas lassé d'elle, qu'elle ne s'est pas lassée de moi et qu'il n'y a aucune raison pour que ça ne continue pas. Tu dois trouver que tout ça manque terriblement de passion ?

– Oui, j'aime sentir que j'aime quelqu'un dès le premier jour, et pas au bout de six ans. Je n'appelle pas ça de l'« amour », c'est plutôt de l'amitié.

– Mais crois-tu que ce soit tellement différent ? Au fond, l'amour et l'amitié, c'est la même chose.

180

– Non, je ne suis pas du tout amie avec les gens que j'aime. Aimer, ça me rend mauvaise.

– Ah oui? Moi non. Je ne crois pas en l'amour sans amitié!

– Peut-être. Mais chez moi, l'amitié vient après.

– Avant ou après, peu importe. En tout cas, il y a une chose très belle qu'on trouve dans l'amitié et que je voudrais qui soit dans l'amour, c'est qu'on respecte la liberté de l'autre. Il n'y a pas d'idée de possession.

– Je suis possessive, horriblement possessive.

– Il ne faut pas être possessive. Tu vas t'empoisonner la vie, mon petit.

– Je sais. Je suis née pour être malheureuse. D'ailleurs, je ne serai pas malheureuse : je suis très gaie, je ne pense qu'aux choses gaies. On est malheureux quand on veut l'être. Moi, quand j'ai des ennuis, je pense qu'il y a des moments gais et que, de toute façon, ça ne sert à rien de pleurer. Je pense que je suis sur la terre, que c'est merveilleux, que je vais bien m'amuser.

– Qu'appelles-tu t'« amuser »?

– M'amuser, c'est vivre. Par exemple, aujourd'hui, je suis très gaie. Demain, peut-être, je serai triste. Alors, je me force, je pense à autre chose, je mets mon cerveau en éveil sur une chose précise, je trouve cette chose formidable, et je suis gaie pour le reste de la journée… Mais si je suis amoureuse, peut-être que… enfin!

– Quoi?

– Quand je suis amoureuse, ça me mobilise entièrement et j'oublie que je suis heureuse de vivre.

– Mais il ne faut pas oublier. Il ne faut pas sacrifier la vie ou le bonheur de vivre à l'amour. Je te crois assez sensée de ce côté-là.

– Vraiment?

– Vraiment.

– Je vais vous faire une confidence.

– Ah!

– Au fond, je ne suis pas contente d'être amoureuse. Je n'aime pas ça : je tape des pieds, je ne m'intéresse plus à rien, je ne vis plus, ce n'est pas drôle du tout!

– Ah! Tu vois que j'avais raison! Je n'ai pas raison?

– Non!

Ils passent au jardin. Jérôme fait admirer ses roses à Laura. Il propose de lui en faire un bouquet. Elle refuse :

– Que dirait maman?

– C'est très innocent d'offrir des roses.

– Elle trouverait ça ridicule de vous à moi, et elle aurait raison.

– Eh bien, offre-les lui de ma part.

– Offrez-les vous-même, quand vous viendrez.

– C'est bien ce que je compte faire.

– Donnez-moi celle-ci.

– Celle-ci seule?

– Toute seule.

Il la coupe et la lui tend :

– Mais pas pour ta mère.

– Non, bien sûr, je la mettrai dans ma chambre.

– Et que diras-tu?

– Que vous me l'avez donnée.

– Elle trouvera pas ça ridicule?

– Non, une seule rose, je ne pense pas : au contraire, elle trouvera ça très bien. Enfin…

– Enfin quoi?

– Enfin rien.

Dimanche, 5 juillet – Jérôme, convié à dîner, se rend chez les W…, un énorme bouquet de roses à la main. Il y a un second invité, Jacques D…, homme de quarante ans.

Après le dîner, la conversation porte sur les beautés de

la région et, plus précisément, sur les « points de vue ». D… prétend que sur la rive d'en face la vue est plus belle, parce qu'on découvre le massif de la Tournette et les Dents de Lanfon, dans toute leur sauvagerie. Madame W… dit qu'elle aussi aimerait mieux vivre en face de ces montagnes, si impressionnantes qu'elles soient, qu'à leur pied. Elle s'y sent écrasée. Laura n'est pas de son avis : elle pense que la montagne est plus belle, vue d'en dessous : « C'est comme un berceau, on a l'impression qu'elle nous protège ». Il y a un point de vue qu'elle aime par-dessus tout : c'est au pied même de la Tournette, au col de l'Aulp. Elle propose à Jérôme de le lui montrer le lendemain. Il renâcle un peu à une ascension de mille mètres à travers la forêt, promenade qu'il a pourtant faite cent fois, étant petit. Laura répond que c'est l'affaire de trois heures au grand maximum et que, si le cœur lui en dit, ils peuvent grimper jusqu'au sommet, en couchant, le cas échéant, au chalet-hôtel.

Madame W… prie sa fille de ne pas abuser de la complaisance de Jérôme.

– Vraiment, maman, tu ne veux pas nous laisser coucher tous deux à l'hôtel? dit Laura d'un air niais.

Et se tournant vers Jérôme :

– Bon, disons que, de toute façon, vous venez me prendre demain.

Sur ce, elle monte, embrassant sa mère, Jacques et « jamais deux sans trois », Jérôme.

– Je ne sais si je dois vous confier ma fille, dit Madame W…, elle est très amoureuse de vous.

– Mais non, Madame, elle joue !

– A ce jeu-là, on se laisse prendre.

– Elle sait bien que je vais me marier !

– Je plaisante. Et finalement, je suis heureuse que ce soit avec quelqu'un de sérieux…

183

– Sérieux, je n'en suis pas si sûr. J'espère que vous comptez plus sur le sérieux de votre fille que sur le mien ?

– Quand on se marie dans un mois, on est sérieux, il me semble ?

– Je suppose que Laura pense comme vous.

Lundi, 6 juillet – Le col de l'Aulp. Jérôme admire les cimes de la Tournette, de Lanfon et de Roux, qui dominent le site de leur masse rocheuse ou boisée, et la plongée vers le lac bleu sombre. Le paysage est ici aussi oppressant qu'en bas, fait-il remarquer. Mais Laura ne trouve pas. Ils se sont assis. Il a entouré de son bras l'épaule de la jeune fille, et elle se laisse aller contre lui.

– Restons comme ça, dit-elle, vous êtes bien ?

– Oui, très bien.

– Vraiment ?

– Mais oui.

– Vous seriez mieux avec votre fiancée.

– Euh ! Oui, au fond.

– Pourquoi « au fond » ? J'espère que vous vous plaisez plus avec elle qu'avec moi ?

– Oui, puisque je vais te quitter pour elle. Si j'étais mieux avec toi, je resterais avec toi. Mais comment savoir si je serais mieux avec toi ? A quoi bon comparer ? Je suis *bien*.

Il lui caresse le bras.

– … Tu sais, mon petit, je te trouve très imprudente. A ta place, je n'aurais pas confiance.

– Je n'ai pas confiance, mais comme j'ai pas mal besoin d'enrichir mon expérience, je prends des risques calculés. Vous, vous risquez plus que moi : vous êtes presque marié, moi je suis libre.

– Mais, moi aussi, je suis libre. Je respecte la liberté de Lucinde, et elle la mienne. Je lui laisse faire absolument ce qu'elle veut, avec l'espoir, disons, ou plutôt la certitude

184

qu'elle ne fera pas quelque chose qui me déplairait. Si tout ce qui plaît à l'un déplaisait à l'autre, ce serait fou de vouloir vivre ensemble!

– Et ça lui plairait donc de vous savoir avec moi?

– Bien sûr, si elle sait que mes sentiments sont purement amicaux. Nous ne nous interdisons pas d'avoir des amis.

– Aurora, par exemple.

– Oui.

– Je l'aime beaucoup. Elle est extraordinairement sympathique.

– Vous avez parlé de moi?

– Bien entendu.

– Qu'a-t-elle dit?

– Que je devais me méfier de vous.

Elle le regarde de son air provocant. Il veut l'attirer un peu plus à lui, mais elle se relève prestement : « Marchons! » Ils grimpent le long d'un sentier, la main dans la main. Un peu essoufflés, ils s'arrêtent. Jérôme presse Laura contre lui. Elle lève la tête. Ils s'embrassent. Mais vite elle se dégage et court en avant. Il la poursuit sur la pente montante. Il la rejoint et l'enlace.

– Lâchez-moi!

– Mais, je te lâche! On ne peut plus jouer?

– Non! J'aimerais être amoureuse pour de bon, amoureuse d'un garçon qui m'aime et que j'aime.

– Tu sais, ma petite, tu as toute ta vie devant toi.

– Vous parlez comme ma mère! Vous savez, j'ai toujours pensé que je me marierais très jeune. Il y a des filles qui se marient à seize ans.

– C'est l'exception, et je ne les approuve pas. Je ne vois pas l'intérêt que tu aurais à te marier maintenant.

– Vous savez que maman va se remarier?

– Avec… l'ami qui dînait hier soir?

– Oui : Jacques. Et alors, je pourrai difficilement vivre avec eux.

– Mais enfin, tu continueras tes études. Tu pourras habiter seule à Lyon, Grenoble, Paris…

– Oui, bien sûr… Je voudrais vous dire quelque chose – mais poussez-vous un peu, n'approchez pas. Je crois que j'étais un peu amoureuse de vous. Si quelqu'un comme vous se présentait, qu'il m'enlève, et qu'il m'aime, je le suivrais.

– Et que dirait ta mère ?

– Elle serait ravie.

– Mais pas avec quelqu'un de mon âge ?

– L'âge n'a pas d'importance pour moi. Je n'ai jamais pu être amoureuse d'un garçon de mon âge.

Mardi, 7 juillet – Assise à côté de Jérôme, sur un banc du jardin, Laura poursuit ses confidences :

– Je n'aime pas les gens de mon âge. Je les trouve idiots. Vous savez, je fais comme ça très gamine, très petite fille, mais il ne faut pas se fier aux apparences. En fin de compte, je suis beaucoup plus vieille que mon âge. Depuis que maman a divorcé, très tôt elle s'est confiée à moi : très tôt, j'ai eu des idées beaucoup plus avancées que les filles de mon âge. Mes camarades ont l'esprit beaucoup plus enfantin que moi. Vous savez, je me vois très bien mariée. Ça ne veut pas dire que je me marierai tout de suite, quand même !

– Je ne vois pas quel intérêt ont les filles de ton âge à se marier aujourd'hui : on n'est plus sous Louis XIV ! Ta mère te laisse absolument faire ce que tu veux.

– Pas si vite ! Ma mère me tient beaucoup plus que vous ne croyez. Après tout, elle a raison. Elle me donne des conseils. Ça m'agace, ça m'énerve, mais je trouve que souvent elle a raison. Elle a raison parce que…

– Parce que?

– Parce que je suis très folle : il y a des moments où j'ai envie de faire n'importe quoi. J'aime beaucoup ma mère, je sais que ça lui ferait de la peine, si je faisais des folies. Alors je suis sage, je suis très sage, j'envoie promener tous les garçons. Je me suis fabriqué une attitude très dure. Je pourrais être folle, aussi : ça m'irait bien, mais pour le moment, je suis dans le camp des gens sages. Je n'ai qu'un petit pas à faire pour passer dans celui des fous : pourquoi ne le fais-je pas? La présence de maman me retient un peu, tandis que, si j'avais un père, comme celui de Claire, par exemple, ça me pousserait à fond dans l'autre sens.

– Claire est plus « folle »?

– Non, elle est amoureuse d'un garçon qui vient passer ses vacances ici. Vous verrez, ils sont tout le temps ensemble. Moi, je n'ai jamais pu vraiment être amoureuse d'aucun garçon, et c'est ce qui m'inquiète… Si : quand j'étais jeune, très jeune. J'ai commencé à aimer un garçon à douze ans et demi. Je ne peux pas dire que j'ai fait grand-chose avec lui, mais je l'ai aimé, et, après lui, personne, pour ainsi dire.

– En somme, ta vie sentimentale est terminée depuis quatre ans!

– Maintenant, je cherche à bien aimer quelqu'un, mais je ne vois que des garçons de mon âge, et les garçons de mon âge me font peur. C'est instinctif : j'ai peur.

– Mais « peur » comment?

– C'est instinctif, je vous dis : un instinct de conservation. Et, plus le garçon est beau, plus il m'effraie.

– Tu veux dire que tu as peur de ne pas savoir lui résister?

– Non. C'est plus vague que ça. Un jeune garçon, je n'aime pas tellement, parce que ça s'impose. Un garçon est gentil : alors je me balade avec lui, par exemple si

187

je m'ennuie – quand je m'ennuie, si je suis à côté de n'importe qui, j'ai l'impression de l'aimer. Ce qui m'embête, c'est qu'au bout d'un certain moment il se donne de l'importance, il dit partout : « elle est amoureuse de moi », il se prend pour un pacha. Alors, c'est fini. Avec un jeune garçon, je ne me sens pas en sécurité. Je ne me sens bien qu'avec quelqu'un qui pourrait être mon père : je dois manquer d'affection paternelle. Avec quelqu'un de plus âgé, je retrouve un peu un père. Je veux partager ce qu'il fait, donner mon avis sur ses affaires, je veux être toujours à côté de lui, je veux être petite avec lui, je me sens bien.

Elle se renverse en arrière, la tête sur l'épaule de Jérôme.

Mercredi, 8 juillet – Jérôme débarque à la villa de W… Il s'avance. Une fille, en train de prendre son bain de soleil sur la pelouse, se lève et vient à sa rencontre. Il se présente :

– Vous êtes Claire ? Laura n'est pas là ?

– Elle vient de sortir. Vincent est venu la chercher.

– Qui ?

– Vincent, un camarade. Il rentrait de Sallanches.

– Aurora est toujours à Genève ?

– Oui, je crois. En tout cas, je ne l'ai pas vue.

– En somme, vous êtes seule. Vous habitez Paris ?

– Oui.

– Vous avez de la chance : il fait beau aujourd'hui.

– Très beau, oui.

Il essaie de prolonger la conversation, mais elle ne répond que par des « oui », « non », « c'est vrai », et, tout à coup, se retourne au bruit d'une auto qui franchit le portail.

– Bon, au revoir, dit Jérôme qui sent qu'il est de trop.

Il regagne son canot et, au moment de démarrer, se retourne. Un garçon de dix-huit à vingt ans saute de la voiture, et court vers la jeune fille, qui l'attend les bras ouverts.

Jeudi, 9 juillet – Jérôme est dans sa chambre. Une auto-mobile corne dans la rue. C'est Aurora, en compagnie d'un ami roumain qui la ramène de Genève. Il descend les accueillir. On prend rapidement un verre sur la terrasse. Aurora n'a rien à raconter, sinon des choses qui relèvent du « haut secret diplomatique », dit-elle en regardant son ami d'un œil complice. Mais Jérôme, lui, a certainement beaucoup à dire.

– Oui et non, répond-il. Il ne s'est rien passé, ou si peu : mais comme il n'y a que ça qui t'inspire !… Vous voyez, Monsieur, moi aussi je fais des mystères.

– Secret professionnel, dit Aurora. Il est mon cobaye. Tu me raconteras tout ça demain, et avec tous les détails…

Vendredi, 10 juillet – A l'extrémité de la pelouse, sur un banc, au bord du lac, Jérôme fait à Aurora le bilan de son « expérience ». C'est à lui-même qu'elle a été utile, elle lui apporte une confirmation supplémentaire qu'il est à l'abri de toute aventure :

– La seule chose, à la rigueur, par quoi on puisse avoir prise sur moi, est la curiosité. Je voulais tout de même savoir si la petite ne s'était pas fichue de moi, selon un scénario imaginé par toi. Je l'ai embrassée l'autre jour, « pour voir », et vraiment j'ai dû me forcer. Tu vois, même quand je lui ai pris la main, non pas comme je prendrais celle d'un enfant, ou celle d'une vieille amie, dans le jeu de la conver-sation (il prend la main d'Aurora), mais en pensant au contact et au plaisir que donne ce contact, ça me gênait. Nous marchions, la main dans la main, et ça me pesait, non du poids de je ne sais quel péché, mais du poids, disons, de son inutilité. En m'intéressant à une autre femme qu'à Lucinde, je n'ai pas l'impression de la trahir, mais de faire quelque chose d'inutile. Lucinde est tout. On ne peut rien ajouter à tout.

189

– Mais alors, pourquoi cette expérience?

– Pour te faire plaisir. Je t'ai obéi.

– Hum!

– Et pour la voir rater : on n'est jamais absolument sûr de rien. Si je me gardais des femmes, si je m'interdisais de leur parler, de les regarder, si même je refusais leurs avances, l'amour que j'ai pour Lucinde m'apparaîtrait comme un devoir, alors que c'est un plaisir. Si je l'épouse, c'est parce que j'ai plaisir à être avec elle, pas avec une autre. Ma volonté n'entre en rien là-dedans. M'en voilà convaincu, si je ne l'étais pas encore.

– Dans tout amour, il y a forcément une part de volonté…

– J'aime qu'elle soit la plus mince. Et découvrir, comme l'autre jour, à quel point elle est mince, crois-moi, c'est une sensation délicieuse.

Dimanche, 12 juillet – Les cerises sont mûres. On a décidé de les cueillir l'après-midi. Tout le monde est là. Jérôme, Aurora qui écrit sur son balcon, Madame W… lisant dans un fauteuil, ses filles, Gilles, l'amoureux de Claire, et Vincent, camarade de classe de Laura. Claire a seize ans, comme Laura. Ce qui frappe, chez elle, c'est la grâce de sa démarche, la sveltesse de sa taille, la finesse de ses attaches. Laura amusait par sa vivacité : Claire trouble par sa nonchalance hautaine. Les deux expressions-clefs de son visage sont une ferveur idolâtre à l'égard de Gilles, et, envers les étrangers, l'inintérêt, presque la défiance. Au demeurant, dans son petit cercle, serviable et bonne fille. Gilles est grand, beau, musclé, parlant haut et net, non sans une certaine morgue que Claire elle-même a du mal à supporter : parfois elle se rebiffe, mais les querelles se terminent vite à son désavantage. Vincent est un gringalet, aux traits plutôt ingrats, avec de beaux yeux clairs et intel-

ligents. Il a l'esprit particulièrement caustique, et se cha-
maille sans arrêt avec tout le monde, surtout avec Laura,
qui ne le ménage pas non plus. Ils affectent de n'être l'un
pour l'autre que de bons camarades. En fait, il est certainement plus épris qu'il ne veut dire. Quant à elle, qui saura
jamais ? A l'en croire, le garçon est aux antipodes de son
type physique, mais ils ont tous deux un même tour d'esprit, et une évidente complicité règne entre eux. Elle semble
s'être subitement désintéressée de Jérôme, qui se sent un
peu perdu au milieu de ces nouveaux visages et du chan-
gement de climat. Il s'ennuie, et ses yeux, à diverses reprises,
s'attardent sur les jambes de Claire, grimpée sur l'échelle.
Laura, qui passe, surprend ce regard.

Mardi, 14 juillet – On va au bal public, sur la place du
village. Aurora est abordée par un Italien qui lui fait, sur le
champ, une cour pressante. Jérôme danse d'abord avec Laura
et Gilles avec Claire, tandis que Vincent regarde, un peu triste.
Puis vient un tango, Laura laisse Jérôme pour inviter Vincent.
Claire quittant la piste, Jérôme l'invite. Elle répond qu'elle
se repose, et reste suspendue à Gilles. Aurora et l'Italien se
mettent à danser. Jérôme, maintenant seul, regarde Laura
qui se serre contre Vincent avec une pointe d'exagération.
Passant près de lui, elle lui décoche un regard moqueur, et
lui fait signe d'inviter sa voisine, grosse fille à lunettes.

Jeudi, 16 juillet – Le club de tennis. Gilles et Claire, assis
sur un banc, attendent que l'un des courts soit libre.
L'attention de Jérôme est accaparée par la main que Gilles,
très intéressé par la partie qui s'achève, a négligemment
posée sur le genou de Claire, serrée contre lui.

Vendredi, 17 juillet – Aurora est en visite chez Jérôme.
De la terrasse du jardin, ils regardent les jeunes filles et

leurs camarades jouer au tennis. Puis, ils reviennent s'asseoir à l'ombre de la maison.

— Tu sais, dit-il, que je préfère de beaucoup ta compagnie et ta conversation à une partie de tennis. Et d'ailleurs, j'ai à te faire la morale. Tu me lances dans des expériences, mais toi tu te dérobes lâchement à toute aventure.

— Tes expériences ne te mènent pas loin…

— Moi, je suis ici en transit, ma vie est ailleurs. Tandis que toi, c'est sérieux, c'est ta vie.

— Moi aussi, je suis en transit.

— Dans ce cas, pas pour longtemps, j'espère. Ça me désole de te voir perdre ta belle jeunesse.

— Ma belle jeunesse, elle est partie!

— Dégotte-toi un type, et cesse de gémir.

— Et si je te parie que je le trouve avant la fin de l'année?

— Qui te l'a dit?

— Mon marc de café… Et puis un « type ». Qui? Où? Où y a-t-il des types à prendre?

— Partout. Ça ne manque pas. Tiens, l'autre soir, au 14 juillet…

— Oh! Le 14 juillet!…

— Avoue qu'il ne te déplaisait pas tellement.

— Finalement, tous les hommes me plaisent. C'est parce qu'ils me plaisent tous que je n'en prends aucun. Pourquoi l'un plutôt que l'autre? Puisque je ne peux pas les avoir tous, je me passe d'eux.

— C'est très anormal tout ça, très immoral.

— Immoral, non, puisque ça me tient dans la chasteté. Je ne vais pas me jeter dans les bras du premier venu? A quoi ça sert? A quoi ça rime? A quoi ça mène?

— Ce n'est pas forcément le premier venu.

— Pour le moment, si. S'il doit venir, il viendra.

— Il viendra… ici?

– Ici aussi bien qu'ailleurs. Je ne suis pas pressée. A t'entendre, on dirait que je suis vieille, vieille ! Je vais te faire une confidence : l'année dernière j'ai voulu vérifier mes charmes auprès de garçons très jeunes. Je me suis donné le chiffre cinq en une semaine.

– Cinq !

– En fait, j'en ai eu trois, très beaux.

– Et ça a été… agréable, outre la gloire ?

– Oui. J'aurais pu continuer indéfiniment. Mais c'est déprimant, une fois obtenue la satisfaction d'amour-propre, et l'amour-propre est vite satisfait, du moins en ce domaine. Je préfère attendre. Je sais attendre, l'attente est quelque chose d'agréable en soi.

– A condition qu'elle ne se prolonge pas trop.

– Rassure-toi !

– Ton histoire est plus intéressante que la mienne.

– Non, tes rapports avec les jeunes filles m'inspirent plus, parce que plus flous.

– Dans ce cas, tu es servie : mon amourette se perd dans les sables. Il ne se passe plus rien, je n'ai plus rien à te raconter. Qu'elle essaie de me rendre jaloux avec son petit copain ? Je ne pense pas. Son expérience est terminée, comme l'est la mienne. Point final. Elle a repris ses habitudes. Je vais reprendre les miennes… Tu sais ?

– Quoi ?

– Non, rien. Ce qui m'amuse, c'est que ce n'est plus toi qui forges le roman, c'est moi. J'ai une idée, mais je crains que mes idées…

– Non, dis.

– Il faut que tu devines. Il s'agit d'une idée, non d'un fait éprouvé. J'ai si bien pris au sérieux mon rôle de cobaye que je renchéris. En me mettant dans la peau du personnage, j'ai pensé qu'il pourrait ressentir quelque chose que je ne ressens pas, en fait… En fait, je ne ressens rien : j'ai fini à tout jamais de courir les filles, grandes et petites, enfin, moi, personnellement... Mais je t'en ai trop dit. Tu ne saisis pas?

– Tu veux dire que tu as posé pour toi le point final, mais pas pour ton personnage : il prolonge l'expérience.

– Non : le personnage l'a posé aussi, du moins dans *cette* expérience.

– Alors tout est fini?

– De ce côté-ci, oui. Mais...

– Mais quoi?

– Effectivement, je ne vois pas comment tu pourrais deviner quelque chose qui est une pure idée de mon esprit. En réalité, il ne s'agit pas tout à fait d'une pure idée. Laura en a eu le soupçon, j'en suis sûr. L'ennuyeux, c'est que, pendant que je parle, je donne à la chose une importance qu'elle n'a pas. Ça m'amuserait que tu devines, mais tu ne devineras jamais... Je te vends la mèche : avec *Laura*, c'est fini.

– Oui, tu l'as dit. Et alors?

– Alors, c'est fini avec *Laura*.

– Claire, par exemple! Tu ne vas pas me dire qu'elle aussi...

– Non, c'est simplement une idée. Non pas l'idée qu'elle est amoureuse de moi, mais que *moi*, euh, disons, je m'intéresse à elle.

– C'est classique : elle en aime un autre.

– Ce n'est pas seulement ça. Si elle ne m'intéressait pas, que voudrais-tu que ça me fasse? Disons qu'elle me « trouble ». Elle trouble mon personnage et peut-être un peu moi-même. Un « peu » qui ne vaudrait pas la peine d'en parler, si précisément tu ne t'intéressais pas au « peu ».

– Elle te trouble? Comment? Par son corps?

– Si tu veux : par sa façon d'être physique, puisque je ne connais que celle-là. Nous ne nous sommes, pour ainsi dire, jamais adressé la parole. J'aurais d'ailleurs beaucoup de difficulté à lui parler.

– Tiens, elle t'intimide !

– Oui, je me sens absolument sans pouvoir devant les filles comme ça. Tu vois ce que je veux dire ?

– Certains garçons très beaux ont pu me faire cet effet. Ça m'amuse que tu m'avoues ta timidité.

– Mais je suis très timide ! En général, on me dispense de faire les premiers pas. Je n'ai jamais poursuivi une fille que je ne sentais favorable d'emblée.

– Et celle-ci ?

– Ecoute, c'est très bizarre. Elle provoque en moi un désir certain, mais sans but, et d'autant plus fort qu'il est sans but. Un pur désir, un désir de « rien ». Je ne veux rien faire, mais le fait d'éprouver ce désir me gêne : je ne croyais plus trouver aucune femme désirable. Et puis, je ne veux pas d'elle. Elle se précipiterait dans mes bras, que je la repousserais.

– Jalousie ?

– Non. Et pourtant, même si je ne veux pas d'elle, j'ai l'impression d'avoir comme un droit sur elle : un droit qui naît de la force même de mon désir. Je suis convaincu de la mériter mieux que quiconque. Hier, par exemple, au tennis, je regardais les amoureux, et je me disais que, dans toute femme, il y a un point vulnérable. Pour les unes, c'est la naissance du cou, la taille, les mains. Pour Claire, dans cette position, dans cet éclairage, c'était le genou. Tu vois, il était comme le pôle magnétique de mon désir, le point précis où, s'il m'était permis de suivre ce désir et de ne suivre que lui, j'aurais d'abord placé ma main. Or c'est là que son petit ami avait posé la sienne, en toute innocence, en toute bêtise. Cette main, avant tout, était bête, et ça me choquait.

195

– Eh bien, c'est facile : mets-lui la main sur le genou. Le voilà l'exorcisme !

– Tu te trompes. C'est la chose la plus difficile. Une caresse doit être consentie. Moins dur serait de la séduire.

Lundi, 20 juillet – Après le bain, les jeunes gens et les jeunes filles, auxquels se sont joints quelques camarades, jouent au volley sur la pelouse. Jérôme et Aurora assis devant la véranda, les regardent.

– Au fond, dit Jérôme, j'aime bien les filles très fines et très fragiles. Toutes celles que j'ai connues, que j'ai aimées, étaient trop robustes à mon gré. Lucinde, par exemple, est assez athlétique. Son côté sportif, d'une certaine façon, ne me déplaît pas du tout, mais, s'il me fallait fabriquer une femme sur mesures, ce sont celles de Claire que j'aurais données.

– Il est encore temps, dit Aurora : si elle te convient, tu n'es pas marié, épouse-la !

– Mais pour moi, le physique n'a pas d'importance. Si elle allait à moi, je t'ai déjà dit, je la refuserais. Toutefois, j'aimerais pouvoir la refuser par libre décision, alors qu'en vertu de je ne sais quelle malchance, toutes les fois que j'ai désiré une femme d'avance, je ne l'ai jamais obtenue. Tous mes succès me sont venus par surprise, à ma surprise. Le désir a suivi la possession.

Claire, soudain, pousse un cri. Elle a mal reçu le ballon et craint de s'être foulé le doigt. Gilles la rabroue et dit qu'elle ne sait pas jouer. Jérôme s'avance, lui demande si elle souffre. Il la conduit à Aurora qui examine le doigt, conclut avec un clin d'œil complice qu'il suffit de « masser », et se lève sous prétexte d'aller chercher des jus de fruits. Mais lui, apparemment, n'a cure d'exploiter la situation, et se contente d'engager la conversation sur le mode plaisant. Claire consent à rire, sans se montrer plus loquace qu'à l'ordinaire, avouant tout au plus qu'elle ne raffole pas du volley et ne joue que « pour faire plaisir à Gilles ».

– Il ne faut pas, dit Jérôme, faire tout ce que demandent les garçons.

– Mais je ne fais pas, répond-elle, tout ce que demandent les garçons.

Aurora revient et sert à boire. Elle tend un verre à Jérôme et le retire par plaisanterie. Elle risque de lui faire perdre l'équilibre, lui fournissant ainsi l'occasion de s'appuyer, comme sans faire exprès, sur le genou de Claire qu'elle lui désigne du regard. Mais il fait son possible pour éviter tout contact.

Jeudi, 23 juillet – Gilles a emprunté le canot de Jérôme : Claire à ses côtés, il fend à toute vitesse les eaux du lac, en rasant les rives, sans souci des règlements. Jérôme, en train de lire à l'ombre du cerisier, voit arriver le gardien du camping voisin qui se plaint de ce que les jeunes gens, malgré ses semonces, passent trop près du bord et gênent les baigneurs. Il répond qu'il est désolé et fera en sorte que la chose ne se reproduise plus.

Mais voilà que Gilles débarque et réplique avec hauteur à l'homme, qui a cru bon de réitérer devant lui ses doléances. Des insultes fusent de part et d'autre, et l'on en vient presque aux mains. Le gardien parti, Jérôme tance vertement les deux amoureux et déclare que, puisqu'ils n'en font qu'à leur tête, il ne leur prêtera plus son bateau. Gilles pousse les hauts cris et jure qu'il s'est toujours tenu à la distance réglementaire. Attirée par le bruit de la dispute, Laura survient et prend véhémentement sa défense :

– C'est encore les campeurs ! Tu les a bien embêtés, j'espère ? Tous les papiers qu'on a sur la pelouse ! Tous les dégâts qu'ils font à la maison ! Ils rentrent sans demander la permission, ils ouvrent la barrière, ils sont chez eux : c'est pas possible, ces gens-là ! Tu as eu raison !

– Entendez-moi cette peste, dit Jérôme. Je dirai à ta mère comment tu me réponds.

– Vous pouvez bien le lui dire : elle est tout à fait d'accord avec moi. De toute façon, Monsieur, vous êtes invité : si quelque chose ne va pas ici, c'est à elle de se plaindre et pas à vous…

Vendredi, 24 juillet – Dans une rue de Talloires, Jérôme croise Laura qui revient des courses. Il lui propose de la ramener chez elle en bateau : comme ça, il aura l'occasion de dire bonjour à Aurora. Elle accepte et, tout en marchant, il lui demande quand est-ce qu'ils pourront faire une nouvelle balade ensemble. Elle ne peut, dit-elle, le jour même, ni le lendemain, car elle se prépare à partir pour l'Angleterre le 26, et doit faire ses valises.

Il trouve qu'il est triste de se quitter ainsi : c'est donc une amitié mort-née qu'ils se sont jurée sur la Tournette. Elle répond qu'ils sont restés en excellents termes, qu'ils se sont vus presque chaque jour et qu'elle ne sait pas ce qu'il pourrait souhaiter de plus.

– Précisément, dit-il, j'espérais un peu plus.

– Moi, je trouve ça très bien. Et s'il n'y a pas eu plus, comme vous dites, c'est votre faute. C'est vous qui restez toujours assis à l'écart.

– Je ne voulais pas te gêner. Je te voyais avec tes camarades.

– Il fallait être avec eux. Vous n'êtes pas si vieux.

Mais Jérôme avoue qu'au fond ce qu'il lui reproche, c'est de mal choisir ses petits copains. Vincent passe encore, mais Gilles n'est pas possible.

– Gilles est l'ami de ma sœur, répond-elle étonnée, je ne discute pas ses choix. Et d'ailleurs, il est très bien. Ils vont très bien ensemble.

– Ah non ! Pas du tout. Elle est cent fois mieux que lui.

– Vous le détestez parce qu'il n'a pas peur de vous.

– Tu es folle ? Au contraire, j'aime les gens qui ont du caractère. Lui, c'est un faux dur de la pire espèce. Claire devrait le laisser tomber : ouvre-lui les yeux.

Laura se demande pourquoi il prend la chose si à cœur :

– Elle l'aime, elle a raison. Qu'est-ce que ça peut bien vous faire ?

– Je dis ça comme ça, pour rien.

– C'est vrai : vous êtes jaloux pour rien. Si encore…

Dimanche, 26 juillet – C'est le jour du départ de Laura et de sa mère qui l'accompagne jusqu'à Genève. On appelle Laura. Elle arrive du fond du jardin où elle était en conversation animée avec Vincent. On s'embrasse. Devant Vincent, mélancolique, Laura se laisse serrer un peu longuement par Jérôme. La voiture part. Tous rentrent sous la véranda : « C'est toujours triste un départ, pense Jérôme, même lorsqu'on n'est pas concerné ! »

Mardi, 28 juillet – Malgré le temps incertain, Jérôme est allé en canot jusqu'à Annecy : il part le lendemain, et a des courses urgentes à faire. Au moment d'accoster, il aperçoit, dans une allée du Jardin Public, un couple qui marche enlacé. Il lui a semblé reconnaître Gilles. Il prend ses jumelles : c'est bien lui, mais la fille n'est pas Claire.

En rentrant, il passe par la villa des W… Claire, qu'il trouve seule, lui dit qu'Aurora est sortie. Il la prie de lui rappeler qu'elle est conviée à dîner chez lui le soir-même. Il passera la prendre à huit heures. Elle promet de n'y pas manquer, puis, après une hésitation, lui demande s'il ne va pas par hasard à Annecy.

– J'en viens, répond-il. Pourquoi?

– Pour rien. Tant pis, ce n'est pas grave.

Mais son air anxieux dément ses paroles.

– Je peux très bien vous y conduire, dit-il, le temps a l'air de s'arranger.

Mais, dès qu'ils ont doublé le roc de Chère, il est patent que l'éclaircie tire à sa fin. Le vent souffle et de gros nuages noirs s'amoncellent.

Jérôme estime qu'il est temps de chercher abri. Il gagne le plus proche embarcadère, un ponton privé. Ils accostent au moment où l'averse commence. Elle est aussi violente que soudaine. Il a tout juste le temps de recouvrir le canot de sa bâche, tandis que Claire va se réfugier sous un hangar à bateaux où il court la rejoindre. Ils s'asseoient comme ils peuvent, sur des caisses. Elle est vêtue d'une robe d'été sur laquelle elle a passé une veste de toile. Il lui demande si elle a froid. Elle dit que non. Elle paraît soucieuse. Il la regarde à la dérobée, contemple un moment la pluie qui n'a pas l'air de vouloir finir de si tôt :

– Même si le temps s'arrange, dit-il, je n'aurai pas le temps de te conduire, et ton rendez-vous est fichu.

Elle répond, plus prolixement que d'habitude, qu'elle n'avait pas de rendez-vous, mais une lettre à déposer chez Gilles, qui est allé voir sa mère à Grenoble, pour qu'il la trouve le soir à son retour. Jérôme lui reproche alors de se donner bien de la peine pour ce garçon qu'elle vaut mille fois :

– Ça me fait mal au cœur de voir une fille aussi charmante que toi avec un pareil balourd. Si encore tu le menais! Tu peux avoir tous les garçons du monde à tes pieds : profites-en.

– Il est très bien, répond Claire. Il n'est pas à plat ventre devant vous comme Aurora, maman, Laura et compagnie. Ça prouve qu'il a du caractère. Et puis votre opinion m'importe infiniment peu!

– Il t'importe infiniment peu de savoir, ma petite, ce que Gilles faisait cet après-midi? dit Jérôme emporté par l'élan de la discussion. Je ne voulais pas te le dire, mais il vaut mieux que tu le saches. Il n'est pas à Grenoble, mais à Annecy, en compagnie d'une fille blonde, pas trop grande…

Et à peine a-t-il entamé le récit de son espionnage que Claire éclate en sanglots.

Jérôme tente quelques mots de consolation, mais les pleurs redoublent de plus belle. Suit une minute de silence, meublée seulement du bruit des sanglots, du choc de la pluie sur le toit du hangar et des coups lointains du tonnerre. Claire cherche vainement un mouchoir dans la poche de sa veste. Jérôme lui tend le sien qu'elle prend en continuant à sangloter tout doucement. L'une de ses jambes est allongée, l'autre repliée : le genou découpe une sorte de cap lumineux sur l'obscurité du sol. Jérôme, tout occupé d'abord des pleurs de la fille, baisse ses yeux vers lui. Son regard remonte le long de la cuisse, du ventre qui se soulève au rythme des sanglots, puis lentement redescend… Alors, d'un geste net et décidé, il pose sa main sur l'extrémité du genou et, avec la même autorité, se met à le caresser d'un mouvement circulaire de la paume.

Claire n'a pas réagi. Elle s'est contentée de jeter, avec un léger temps de retard, un coup d'œil sur la main, décidée sans doute à couper court à la caresse dès qu'elle la sentirait s'enhardir. Ce qui ne se produit pas. On s'en tient au *statu quo*, les pleurs s'apaisant, et la main, sans quitter sa place, affirmant sa prise et son rythme. L'orage se tait. La pluie cesse. Claire a les yeux maintenant presque secs et perdus dans le vague. Une larme qui lui coule le long des joues s'illumine un instant des feux de l'arc-en-ciel, et mobilise toute l'attention de Jérôme. Quand elle atteint la commissure des lèvres, il détache sa main du genou et se lève : « Rentrons! »

Assise dans une bergère, devant une tasse de tilleul, Aurora écoute la confession de Jérôme. Il avoue (était-ce l'orage, l'imminence du départ?) s'être trouvé dans une sorte d'état second, sous le coup d'un besoin subit de catastrophe. Quelque chose de plus fort que sa volonté a dicté des mots qu'il ne voulait pas dire, des gestes qu'il n'aurait pas cru oser faire :

– Elle continuait à pleurer, elle cherchait un mouchoir, elle n'en avait pas. Je lui ai tendu le mien, elle s'est tamponné vaguement les yeux, elle a fait le geste de me le rendre, je lui ai fait signe de le garder. Je suis sûr qu'à ce moment-là elle devait me haïr. Si j'avais essayé de la toucher, ou même d'ouvrir la bouche, elle aurait crié : « Laissez-moi ! » Alors, je suis resté comme ça à la regarder pleurnicher, très gêné, content que mon coup ait porté, mais en même temps un peu écœuré. J'avais honte d'avoir été jusqu'à la faire pleurer, ou plutôt j'avais honte pour elle, je pensais qu'elle devait avoir honte de s'être laissé aller à pleurer devant un étranger, et ça me gênait.

Ça me gênait d'autant plus que je la sentais prête à refuser toute consolation. Elle n'aurait pas supporté que je lui prenne la main, l'épaule, que je la serre contre moi… Bref, elle était assise en face de moi, le genou aigu, étroit, lisse, fragile à ma portée, à la portée de ma main. Mon bras était placé de telle façon que je n'avais qu'à l'étendre pour toucher son genou. Toucher son genou était la chose la plus extravagante, la seule à ne pas faire, et en même temps la plus facile. Je sentais à la fois la simplicité du geste et son impossibilité. Comme si tu es au bord d'un précipice, que tu n'as qu'un pas à faire pour sauter dans le vide et que, même si tu veux, tu ne le peux pas.

Il m'a fallu du courage, tu sais, beaucoup de courage. Dans ma vie, je n'ai jamais fait quelque chose d'aussi

202

héroïque, du moins d'aussi volontaire. C'est même la seule fois que j'ai accompli un acte de volonté pure. Je n'ai jamais éprouvé à ce point le sentiment de faire quelque chose parce qu'il le fallait. Car, il fallait le faire, n'est-ce pas, je te l'avais promis?...

Donc, j'ai mis ma main sur son genou d'un mouvement rapide et décidé qui ne lui a pas laissé le temps de réagir. La précision de mon geste a prévenu la riposte. Elle m'a simplement jeté un regard, un regard indifférent, à peine hostile, mais elle ne m'a rien dit. Elle n'a pas repoussé ma main, elle n'a pas déplacé sa jambe. Pourquoi? Je ne sais pas, je ne comprends pas. Ou plutôt, si! Tu vois, si je l'avais frôlée du doigt, si j'avais essayé de lui caresser le front, les cheveux, elle aurait sûrement esquissé un mouvement de recul. Mais mon geste était trop inattendu. Elle l'a pris, je suppose, pour le début d'une attaque qui ne vint pas : alors, elle s'est trouvée rassurée. Qu'en penses-tu?

– Je pense que c'est très bien raconté, dit Aurora. C'est dommage que je ne sache pas la sténo : j'aurais tout noté. Maintenant, ce qu'elle pensait, qu'est-ce que ça peut te faire? Vous formiez un groupe sculptural et pictural : qu'importent vos pensées!

– Tu sais, poursuit-il, que j'ai horreur de faire pleurer les filles : si je l'ai fait, c'est qu'elle avait besoin d'une leçon, il fallait que je lui ouvre les yeux. Si j'avais eu le sentiment de la choquer tant soit peu, j'aurais retiré ma main, le rouge au front. Or, non seulement je ne la choquais pas, mais je lui faisais du bien. Ce geste que je croyais un geste de désir, elle l'avait pris pour un geste de consolation. Une sorte de paix s'est installée en moi, mêlée de la crainte de ne pouvoir maîtriser cet instant...

Tout cela divertit fort Aurora :

– Ton histoire est charmante, dit-elle, mais parfaitement

anodine. Il n'y a pas d'autre perversité que celle que tu prétends y mettre.

– Je prétends au contraire que les résultats sont tout ce qu'il y a de plus moraux. D'une part, j'ai dissipé l'enchantement dont je te parlais : le corps de cette jeune fille ne m'obsédera plus. C'est comme si je l'avais possédée, je suis comblé. D'autre part, en même temps, j'ai fait une « bonne action », et la conscience de cette bonne action a été partie constitutive de mon plaisir : je l'ai détachée de ce garçon pour toujours.

– Elle tombera sur quelqu'un de pire.

– Non, je ne pense pas. Elle a fait ses armes, elle est sur ses gardes.

– Ce qui m'amuse, c'est que tu ne peux pas supporter l'idée qu'il y ait une femme qui t'échappe.

– J'admets très bien qu'il y ait des femmes qui m'échappent, toi, par exemple.

– Moi, je suis hors-jeu.

– C'est bien ce que je te reproche. Pour toi, je ne suis qu'un cobaye, tandis que toi, pour moi, tu es une très grande amie. D'ailleurs, tout ce que j'ai fait, je l'ai fait par amitié pour toi, et tu le sais très bien.

– Laura c'était pour moi? Claire c'était pour moi?… Pas Lucinde, j'espère?

– Ecoute, tu ne vas pas me croire, mais si tu n'avais pas été là, il ne se serait rien passé, même si j'avais connu les deux filles d'une façon ou d'une autre. Et, donc, il ne se passera plus rien, puisque tu ne seras plus là. Grâce à toi, j'ai atteint le summum des délices, et je n'ai plus envie qu'il se passe quoi que ce soit. Je suis comblé.

– Lucinde?

– Ah! Lucinde. Tu y reviens! Eh bien, justement, tout désormais sera pour Lucinde. Le reste, les autres filles, tout ça a été balayé, volatilisé. Tu es une magicienne!

204

– Tu en doutais?

– Mais non. Sinon, je n'aurais pas si imprudemment remis mon sort entre tes mains.

Mercredi, 29 juillet – Neuf heures du matin. Le ciel, lavé, est d'un bleu vif, le lac scintille. Pour la dernière fois, Jérôme prend son canot et accoste à la villa. Aurora, qui l'a entendu venir, est descendue de son balcon. Il lui fait ses adieux rapides, et la charge de transmettre ses amitiés à Claire, qui est encore dans sa chambre. Elle lui demande s'il veut qu'elle la réveille : il dit que c'est inutile.

Ils s'embrassent et se font leurs dernières recommandations. Jérôme déplore que, tandis qu'il va se marier, elle reste seule dans la vie. Elle prend alors un air sibyllin :

– Seule? Non!

– Comment non? Tu as un amant?

– J'ai un fiancé.

– Tu ne m'en as rien dit! Je te dis tout, et toi tu me mènes en bateau!

– Tu ne m'as rien demandé. Et d'ailleurs, tu le connais, je te l'ai même présenté.

– Ah! Le garçon qui t'a ramené de Genève? Pas mal!…

Il remonte en barque et s'éloigne. Aurora dont la silhouette se détache sur le bleu du lac, l'accompagne d'un large geste d'adieu. Comme elle se retourne, elle aperçoit Gilles qui vient d'arrêter sa voiture près du portail. Il s'avance et lui demande si Claire est là; mais la voici qui justement descend les escaliers. Aurora remonte pour ne pas assister à une explication qu'elle devine orageuse. Du haut de son balcon, cachée par le feuillage du cerisier, elle ne peut s'empêcher toutefois d'observer le manège des deux amoureux qui vont et viennent sur la pelouse discutant âprement. Des bribes de leur conversation lui parviennent. Les raisons de Gilles semblent devoir emporter peu à peu la conviction de la jeune fille : effectivement, il n'est pas allé à Grenoble… des incidents de toute sorte ont immobilisé sa voiture… en allant prendre le vapeur, il est tombé sur une certaine Muriel qui l'a prié d'intervenir auprès d'un de ses camarades dont elle est amoureuse, etc.

Ils vont s'asseoir sur un banc, au bord de l'eau. Ils sont blottis l'un contre l'autre, lèvres jointes, le bras gauche du garçon passé autour de l'épaule de la fille et la main droite caressant son genou.

VI

L'Amour, l'après-midi

Prologue

Il est huit heures du matin. Je m'apprête à partir. J'enfile mon imperméable. Je passe dans la chambre prendre un livre posé sur la table de chevet. On entend, dans la pièce voisine, un enfant crier : « Maman! »

Devant la porte de la salle de bains, je m'arrête et frappe un léger coup :

– Hélène!

– Entre, dit ma femme.

La porte, en s'ouvrant, la découvre nue, de dos, sortant de la baignoire. Elle attrape le drap de bain et l'enroule autour d'elle, tout en pivotant vers moi :

– Tu pars? Au revoir, dit-elle, en me tendant sa joue.

– Excuse-moi, dis-je, mais, ce matin, j'ai beaucoup de travail. Ariane pleure : tant pis, je la laisse seule.

– Laisse, je m'en occuperai.

Je serre la taille d'Hélène et promène mes lèvres sur son épaule humide.

– Hé... Tu vas te mouiller! dit-elle.

– Ça ne fait rien, j'ai mon imper!

Nous habitons dans la banlieue ouest, à une demi-heure de la gare Saint-Lazare. Sur le quai de la station, il y a, à cette heure-ci, beaucoup de monde. Il y en a encore plus dans le wagon. Nous sommes si serrés que j'ai peine à sortir mon livre de ma poche.

Dans le train, je préfère de beaucoup le livre au journal, et pas seulement à cause de la commodité du format. Le journal ne mobilise pas assez mon attention, et surtout ne me fait pas suffisamment sortir de la vie présente. Actuellement, je me passionne pour des récits d'exploration. Le livre que j'ai avec moi est le *Voyage autour du monde* de Bougainville. Mon trajet, matin et soir, correspond à peu près à la dose de lecture que j'aime absorber sans interruption.

Le soir, à la maison, je lis aussi, mais autre chose. J'aime poursuivre plusieurs lectures de front, chacune ayant son temps et son lieu, toutes me transportant hors du lieu et du temps où je vis. Mais je ne pourrais pas lire, si j'étais seul dans une cellule aux murs nus : j'ai besoin d'une présence physique à mes côtés.

Quand j'étais étudiant, sauf pour le travail, je ne pouvais rester dans ma chambre après dîner. Maintenant, Hélène et moi nous sortons peu. Elle est professeur d'anglais au lycée de Saint-Cloud et, le soir, prépare ses cours, ou corrige des copies. D'être à mille lieues d'elle, parfois, en pensée, ne fait que me rendre plus douce la sensation de sa proximité physique... Pourquoi, dans la masse des beautés possibles, ai-je été sensible à *sa* beauté? C'est ce que je ne sais plus très bien.

Dans le train, assise en face de moi, une jeune femme corrige un paquet de copies. Elle est mariée, je remarque son alliance. Elle n'a pas l'air d'un professeur, Hélène non plus. De temps en temps, elle lève la tête, et regarde devant elle dans le vague. Elle a de très beaux yeux…

Maintenant, quand je vois une femme, je n'arrive plus à la classer d'emblée dans le clan des élues et celui des réprouvées. Non seulement je n'ai pas la même sûreté de goût, mais je ne vois plus sur quels critères j'appuyais mon jugement, en quoi consistait ce « quelque chose », que toute femme, pour m'attirer, devait posséder immanquablement, et que je décelais au premier coup d'œil.

Depuis que je suis marié, je trouve toutes les femmes jolies. Dans leurs occupations les moins inattendues, je leur restitue ce mystère dont je les dépouillais presque toutes jadis. Je suis curieux de leur vie, même si elle ne m'apporte rien que je ne sache déjà. Que se serait-il passé, si j'avais, il y a trois ans, rencontré cette jeune femme ? Aurait-elle frappé mon attention ? Aurais-je pu m'éprendre d'elle, désirer un enfant d'elle ?

Je marche dans la foule qui sort de la gare Saint-Lazare, et s'écoule dans les rues avoisinantes.

J'aime la grande ville. La province et les banlieues m'oppressent. Et, malgré la cohue et le bruit, je ne rechigne pas à prendre un bain de foule. J'aime la foule comme j'aime la mer, non pour m'y engloutir, m'y fondre, mais voguer à sa surface, en écumeur solitaire, docile en apparence à son rythme, pour mieux reprendre le mien propre, dès que le courant se brise ou s'effrite. Comme la mer, la foule m'est tonique et favorise ma rêverie. Presque toutes mes pensées me viennent dans la rue, même celles qui concernent mon travail.

J'ai fondé, avec un ami, un cabinet d'affaires dont le siège est rue de la Pépinière, à deux pas de la gare. Il y a trois pièces : un secrétariat, mon bureau et celui de mon associé, Gérard.

Quand Fabienne, l'une des deux secrétaires, arrive, je suis installé à la machine, et tape une lettre urgente. Elle s'excuse d'être en retard, je lui dis que je suis en avance. Elle me propose de me remplacer. Je lui réponds que je n'ai pas encore le texte bien en tête et que je lui donnerai la feuille à retaper, si la frappe est mauvaise. Qu'elle me cherche plutôt tel document dans les archives.

Tout en poursuivant ma rédaction, je la regarde distraitement s'affairer parmi les dossiers. Cette fille est jolie, élégante, bien faite. Ses qualités physiques ne briment en rien sa valeur professionnelle. Si Gérard et moi accordons la primeur à ce second mérite, nous ne sommes pas indifférents au premier, et trouvons stimulant d'exercer notre activité au milieu de jeunes et jolies personnes, même si nous nous conduisons avec elles de la façon la plus réservée. Cela dit, je n'ai pas pour autant jeté bas toute galanterie. Bien au contraire. Le fait que Fabienne soit pour moi intouchable et que je le sois pour elle, car elle est fiancée, nous autorise à jouer, dans des limites très strictes, un petit jeu de sourires et de regards que j'imagine mal à l'adresse de quelque matrone ou vieille bique. Mais, dans nos conversations, nous sortons rarement du domaine professionnel. Nous évitons les cancans. Elle ne me fait pas ses confidences, pas plus que moi ne lui fais les miennes. Tout ce que je sais d'elle et de sa vie, je le tire de multiples coups de téléphone qu'elle donne à son fiancé et dont, bien involontairement, je surprends quelques bribes.

Ce matin, il semble qu'il y ait eu un petit drame. Car le garçon l'appelle, à peine est-elle au travail. Elle répond, avec une certaine impatience, que ce n'est pas une heure pour téléphoner, qu'elle va bien, qu'il se tranquillise, qu'elle est simplement un peu énervée, qu'elle a beaucoup à faire et qu'il dérange tout le monde. Elle raccroche avec un beau sourire dans ma direction, tandis que je reprends ma frappe, arrêtée pour ne pas la gêner.

Arrive Martine, l'autre secrétaire, très belle fille elle aussi. Elle porte un manteau qu'elle a mis pour la première fois, et que Fabienne admire. Gérard, entrant en coup de vent, interrompt le papotage, et Martine, un bloc-sténo à la main, le suit dans son bureau.

A une heure de l'après-midi, les secrétaires arrêtent leur travail. Elles descendent au café, grignoter un sandwich. Gérard rentre chez lui : il habite dans le quartier. Moi, je prolonge mon activité jusque vers deux heures, pour éviter la presse des restaurants. D'ailleurs, en général, je ne prends pas de vrais repas, et me contente d'aller, entre deux et trois, manger un plat froid dans une brasserie. Je refuse les déjeuners d'affaires et groupe, si possible, tous mes rendez-vous en fin d'après-midi.

Je suis assis à la terrasse d'un café de la place Saint-Augustin, achevant mon « assiette anglaise ». Passe un ancien camarade que je croise de temps en temps : il travaille comme attaché de presse dans une firme du quartier. Il m'aperçoit, vient vers moi. Je l'invite à s'asseoir.

– J'ai vu Gérard, l'autre jour, dit-il. Il paraît que ça marche très bien votre affaire.

– Très bien, presque trop bien : on va être obligés de s'agrandir ; on sera envahis par la bureaucratie. Je peux encore me permettre un peu de fantaisie, par exemple de travailler quand les autres déjeunent, et de déjeuner quand ils travaillent.

– Mais moi aussi ! dit-il en riant. Théoriquement, j'ai un horaire, mais je ne suis pas obligé de le suivre. Tu te crois privilégié, alors qu'il y a des milliers de gens dans ton cas : regarde dans la rue.

– A cette heure, dis-je, il y a surtout des femmes, des retraités...

– Et tous ces types avec des serviettes.

– Ça, c'est un représentant...

– Ou un avocat...

– Ou un prof... ou peut-être un agent secret ! Dans le fond, ça me rassure, dis-je, j'aime bien qu'il y ait du monde dans les rues, à n'importe quelle heure. C'est ce qui fait l'agrément de Paris. Je ne connais rien de plus sinistre que les après-midi de province ou de banlieue !...

– Tiens, toi aussi tu as « l'angoisse de l'après-midi » ? Même à Paris, je ne me sens tout à fait bien qu'une fois franchi le cap des quatre heures : c'est probablement à cause de notre stupide coutume du déjeuner.

– C'est pourquoi je ne déjeune pas, et soigne mon angoisse, si angoisse il y a, en faisant des courses.

Je me promène à l'intérieur d'un grand magasin. Je croise surtout des femmes, dont quelques-unes très élégantes. Je parcours le rayon de la chemiserie, regarde, mais n'achète rien.

Puis, je sors et remonte le boulevard Haussmann. Je reste un moment en contemplation devant la vitrine d'une chemiserie. Je me décide à entrer.

J'essaie un jersey bleu-ciel. Le vendeur veut me persuader qu'il me va parfaitement. Je me regarde dans la glace d'un air peu convaincu :

– Et le vert, dit-il, vous n'aimez pas ?

– Non, pas du tout.

— Celui-ci vous va très bien au teint.

— Oui, dis-je, mais ce n'est pas tout à fait ce que je cherchais.

— Qu'est-ce que vous lui reprochez?

— Rien. Disons que j'en suis pas fou. Je sais que le bleu me va, mais je voudrais changer.

— Eh bien alors, prenez le vert!

— Il ne me va pas... Ecoutez, je réfléchirai...

J'entre dans une autre boutique et demande un pull à col roulé. Une fille ravissante que je prends pour une vendeuse, mais qui n'est autre, vraisemblablement, que la patronne elle-même, se met à rire à ma question et répond, en me regardant droit dans les yeux :

— Non, dans votre taille, je n'ai plus rien, sauf du blanc ou un beige plutôt moche. Repassez la semaine prochaine.

Je vais repartir, quand elle attrape un tricot derrière elle et me le tend :

— Vous voyez, ce n'est pas très joli, et ça ne vous irait vraiment pas!

Et, me voyant parcourir des yeux le rayonnage :

— Ça, ce n'est pas votre taille, et ça, là-bas, ce sont des chemises.

Sans me consulter, elle en étale la série entière sur le comptoir :

— Là, par contre, les couleurs pourraient vous aller. Celle-ci par exemple.

Prestement, elle en sort une de son enveloppe de cellophane, ôte les épingles et la déploie sur ma poitrine :

— Elle vous va très bien au teint. Elle fait ressortir la couleur de vos yeux. Passez-la, vous vous rendrez mieux compte.

— Mais je ne veux pas de chemise!

– Ça ne fait rien. Essayez-la toujours. Si elle ne vous va pas, vous n'êtes pas obligé de la prendre !

– Mais... je vous préviens, je ne la prendrai pas.

– Essayez quand même, par curiosité !

Je me laisse doucement convaincre, et passe dans le salon d'essayage. Effectivement, ça me va à la perfection. On dirait que c'est conçu pour mon teint, et coupé à mes mesures. Le prix marqué n'a rien de prohibitif. J'écarte le rideau et regarde la jeune femme d'un air perplexe, cherchant quelle critique je pourrais bien formuler :

– Le col remonte un peu, hasardé-je timidement.

Elle éclate de rire :

– Mais non, vous aviez laissé une épingle !

Elle s'approche de moi, ôte l'épingle, tire un peu la chemise vers le bas, et, du bout des doigts caresse l'étoffe :

– C'est du pur cachemire, c'est doux, c'est léger, ça ne se repasse pas.

– Je la prends, dis-je.

L'horloge de la gare Saint-Lazare marque six heures. Débouchant des rues voisines et du métro, une foule dense et pressée gravit les escaliers et se déverse le long des quais.

Six heures et demie. Je suis à mon bureau, en conférence avec un visiteur. Fabienne frappe et entrouvre la porte. Elle a son manteau :

– Vous n'avez plus besoin de moi ?

– Non, merci, à demain !

Me voici de retour à la maison. Ariane, qui m'a entendu ouvrir, m'appelle. J'entre dans sa chambre, où sa mère achève de la mettre au lit. Hélène remarque mon paquet.

– Je devine, dit-elle, c'est un pull.

– Non, une chemise. J'ai peur d'avoir fait une bêtise. Je

préfère te la montrer sur moi.

Je passe dans la chambre où je remarque sur le lit un sac en provenance du grand magasin où j'étais en début d'après-midi. Pendant que je passe la chemise, je crie à Hélène :

— Tiens, tu as fait des courses ? A quelle heure ? Nous aurions pu nous rencontrer. C'est curieux, on ne se rencontre jamais !

Hélène admire la chemise, la palpe, y frotte sa joue, tandis que mes lèvres effleurent ses cheveux. Puis, elle s'esquive :

— Ces courses m'ont mise en retard, le dîner n'est pas prêt !

Je la rejoins à la cuisine et, tout en l'aidant à éplucher les pommes de terre :

— Tu m'as rassuré, dis-je, j'avais peur de m'être laissé avoir.

— Je ne te croyais pas si influençable !

— Oui, mais la vendeuse a été très habile : elle avait l'air de s'en fiche complètement. En fait, la chemise me plaisait. J'ai eu le coup de foudre : ça m'arrive rarement.

Je suis à mon bureau. Fabienne ouvre la porte :

— Je peux partir à midi et demie ? On vient me chercher pour déjeuner.

J'acquiesce et elle ajoute :

— Ah ! Je ne vous l'avais pas encore dit, je vais me marier, cet été probablement.

Je la félicite, et lui demande si elle pense nous quitter.

— Non, j'aimerais rester. Mon fiancé pourrait me prendre avec lui dans l'affaire de son père, mais je préfère travailler de mon côté. Lui non plus n'aimerait pas m'avoir sous ses ordres. Rien d'ailleurs ne me force à travailler. Je pourrais me permettre de rester à la maison, mais je trouve ça triste. Je préfère me payer une bonne et venir au bureau.

Nous avons à dîner une des collègues d'Hélène, Madame M., et son mari, maître-assistant à Nanterre :

– Le fait que ma femme et moi exerçons le même métier, dit M., ne nous rapproche pas pour autant. Agnès est « matheuse », et moi littéraire, c'est la totale incommunicabilité ! Vos préoccupations professionnelles sont finalement plus proches.

Hélène et moi, nous nous esclaffons :

– Hélène ignore tout de mes affaires !

– Et Frédéric ne sait même pas le titre de ma thèse !

– Peut-être, mais c'est à cause de toi que je me suis remis à l'anglais, et que je lis dans le texte les passionnants voyages du Capitaine Cook !

Je bavarde dans mon bureau, en compagnie de Gérard et d'un visiteur de notre âge. Les propos sérieux sont terminés, on s'apprête à prendre le thé. Fabienne vient apporter les tasses.

– La chose, dit Gérard, qui m'exaspère le plus dans ces réceptions, c'est tous ces types qui se croient obligés d'y traîner leur femme. On dirait que ça ne leur suffit pas de cultiver leur ennui à la maison : ils tiennent à le balader dehors. Et puis ma femme est médecin, celle de Frédéric est professeur. Elles ont, elles aussi, leurs obligations professionnelles : s'il faut encore leur imposer nos corvées !

Martine entre, la théière à la main. Il lui demande si elle veut bien l'accompagner à la soirée en question. Et, comme elle n'a pas l'air de prendre son invitation très au sérieux :

– Je vois, dit-il, il faut demander à votre fiancé… Ah, vous avez rompu !… Il y en a un autre ?… Ces filles, on ne peut jamais rien faire avec elles : elles sont toujours « fiancées » ! Et puis, les fiançailles, c'est sérieux, pas question de sortir l'un sans l'autre… Ma femme et moi, nous ne sortons presque jamais ensemble : le fait que je l'aime, que je lui sois pratiquement fidèle, ne m'empêche pas d'apprécier la compagnie d'une jolie fille. Et je ne vois pas du tout pourquoi j'irais m'embêter dans une soirée, si je n'ai pas l'espoir, précisément, d'y rencontrer une jolie fille à qui faire un peu de cour. C'est la moindre des compensations !...

Je marche dans la rue, croise des femmes. Je m'installe à une terrasse de café et regarde les femmes qui passent.

S'il y a une chose dont je ne suis plus capable, c'est de faire la cour à une fille. Je ne vois pas du tout ce que je pourrais lui dire, et d'ailleurs je n'ai aucune raison de lui parler. Je ne veux *rien* d'elle, je n'ai aucune proposition à lui faire.

Pourtant, je sens que le mariage m'enferme, me cloître, et j'ai envie de m'évader. La perspective du bonheur tranquille qui s'ouvre indéfiniment devant moi m'assombrit. Je me prends à regretter le temps, qui n'est pas si lointain, où je pouvais éprouver les tortures du doute, les tourments de l'incertitude, les affres de l'attente. Je rêve d'une vie qui ne soit faite que de premières amours – et d'amours durables : c'est dire que je veux l'impossible...

Quand je vois des amoureux, je songe moins à moi, et à ce que j'étais, qu'à eux-mêmes et à ce qu'ils deviendront. C'est pourquoi j'aime la grande ville : les gens passent et disparaissent, on ne les voit pas vieillir. Ce qui donne tant de prix, à mes yeux, au décor de la rue parisienne, c'est la présence constante et fugitive de ces femmes croisées à chaque instant, et que j'ai la quasi-certitude de ne jamais plus revoir. Il suffit qu'elles soient là, indifférentes et conscientes de leur charme, heureuses de vérifier son efficacité auprès de moi, comme je vérifie le mien auprès d'elles, par un accord tacite, sans besoin d'un sourire ou d'un regard, même à peine appuyé. Je ressens profondément leur attirance, sans être attiré pour autant, et cela ne m'éloigne pas d'Hélène, bien au contraire…

Je me dis que ces beautés qui passent sont le prolongement nécessaire de la beauté de ma femme. Elles l'enrichissent de leur propre beauté, tout en recevant un peu de la sienne en retour. Sa beauté est le garant de la beauté du monde, et vice-versa : en étreignant Hélène, j'étreins toutes les femmes…

Mais, d'autre part, je sens que ma vie passe et que d'autres vies se déroulent parallèlement à la mienne, et je suis comme frustré d'être resté étranger à ces vies, de n'avoir pas retenu chacune de ces femmes, ne serait-ce qu'un instant, dans leur marche précipitée vers je ne sais quel travail, vers je ne sais quel plaisir…

Et je rêve : je rêve que je les possède toutes, effectivement. Depuis quelques mois, j'aime à me complaire, à mes moments perdus, dans une rêverie qui se précise et s'étoffe de jour en jour. Rêverie enfantine, et probablement inspirée par une lecture de mes dix ans : j'imagine que je suis possesseur d'un petit appareil qu'on suspend à son cou et qui émet un fluide magnétique capable d'annihiler toute volonté étrangère.

Je rêve que j'exerce son pouvoir sur les femmes qui passent devant la terrasse du café :

La *première* marche indifférente. Je l'aborde un peu cérémonieusement.

Moi : Pardon, Madame, puis-je vous demander si vous êtes très pressée ?

Elle : Franchement, Monsieur, non, pas très.

Moi : Avez-vous une heure à perdre ?

Elle : A la vérité, oui.

Moi : Vous serait-il agréable de la perdre avec moi ?

Elle : A vrai dire, je n'en sais rien.

Moi : Faisons-en l'expérience : comme ça, vous saurez.

Elle : C'est vrai, je le saurai. Excellente idée !

La *deuxième* va hésitante. Je lui souris, elle me sourit.

Moi : Madame, je voudrais vous embrasser.

Elle : Moi aussi. (Elle me saute au cou.)

Moi : Et si votre mari nous voyait !

Elle : Il n'est pas là. Allons chez moi.

La *troisième* promène son chien. Je m'approche d'elle d'un mouvement circulaire. Je lui passe mon bras autour de la taille. Elle lève la tête et me regarde avec ravissement.

Moi : Avec vous, il n'y a même pas besoin de parler !

Elle : Mais vos intentions sont si claires !

Je hèle un taxi qui passe.

La *quatrième* est au coin du trottoir, semblant attendre le client.

Moi : Mademoiselle, êtes-vous professionnelle ?

Elle : Dix mille.

Moi : Mon prix, c'est vingt mille.

Elle : Mais, c'est donné !

Et elle me signe un chèque.

La *cinquième* est en compagnie d'un garçon. Je m'avance vers elle.

Moi : Mademoiselle !

Lui : Qu'est-ce que vous voulez ?

Moi : Ce n'est pas à vous que je m'adresse.

Lui (confus) : Ah ! Très bien. (Il s'écarte.)

Moi (à la fille) : Vous venez avec moi ?

Elle : Je suis avec lui.

Moi : Laissez-le tomber.

Elle : Qu'est-ce qu'il va dire?

Moi : Je m'en occupe. (Au garçon) : Voulez-vous me laisser votre petite amie?

Lui : Très franchement, non.

Moi : Sincèrement, que préférez-vous? Que je vous la prenne, ou que… je vous mange tout cru? (Je fais des yeux terribles et je grince des dents.)

Lui (s'éloignant) : Evidemment, si vous y allez comme ça!

La *sixième* traverse la place en courant. Je l'arrête par le bras. Elle se retourne, furieuse.

Moi : Vous venez avec moi?

Elle : Non.

Moi : Et pourquoi?

Elle : Je vais chez un autre.

Moi : Je… euh…

Elle : Inutile de faire « euh! » Vous ne trouverez pas d'argument. Je n'aime que lui, je ne me plais qu'avec lui. Ça, cher Monsieur, c'est irréfutable!

Inquiet, je regarde l'appareil : non il n'est pas en panne…

Première partie

Tel était mon état d'esprit quand je reçus la visite de Chloé. Je ne puis dire que j'eus du plaisir à la revoir. Elle ressuscitait en moi un passé que j'aimais à considérer comme mort. Elle avait été le témoin de mes amours orageuses avec une fille, Miléna, que je venais de quitter lorsque je fis la connaissance d'Hélène, et j'avais été celui des siennes, non moins troublées, avec un de mes amis, Bruno, qui est aujourd'hui marié et que j'ai à peu près perdu de

222

vue. Je le savais très épris, elle le trompait presque ouvertement, il rata son suicide. Je faisais tout pour aider mon camarade à se détacher d'elle. Elle le savait, et j'avais toutes les raisons de penser qu'elle ne me portait pas dans son cœur, bien que nos rapports fussent en apparence très cordiaux.

Je n'avais jamais très bien su la classer, ni intellectuellement, ni moralement, ni socialement. A peu près inculte, elle surprenait par la justesse de ses intuitions et, parfois même, le bonheur de ses formules. Vulgaire par bien des côtés, elle faisait preuve, dans certains domaines, celui des couleurs par exemple, d'un goût très sûr. Elle ne s'encombrait pas de morale, et je l'ai vue donner exactement autant de preuves de bon cœur que de méchanceté concertée. Bruno se ruinait pour elle, mais sottement, car elle n'était pas vénale à proprement parler. Elle aimait à se jouer des hommes et, quand elle tirait de l'argent de quelqu'un, je remarquai qu'elle ne donnait jamais rien en échange. A l'époque où je l'avais connue, elle était encore vendeuse dans une boutique de la rue de Sèvres. Vite, elle perdit sa place, traîna dans les boîtes, campant chez les uns et les autres et vivant de l'air du temps, jusqu'au moment où elle amorça une carrière de mannequin qu'on crut prometteuse, mais qui tourna court. Elle eut pour « fiancés » quelques hommes à la mode, avant de suivre en Californie un jeune peintre américain, et je n'entendis plus parler d'elle.

Un jour, donc, que je retourne au bureau vers les quatre heures, à mon habitude, Fabienne m'annonce qu'une personne m'attend, une jeune femme qui veut me parler personnellement, ce qui m'intrigue. J'ouvre la porte et ne reconnais pas Chloé tout de suite, car elle est assise à contrejour. Cela jette un froid d'emblée. J'adopte un ton résolument bourru, mais elle ne se décontenance pas pour autant : c'est normal que je ne me souvienne plus d'elle, il y a si longtemps! D'ailleurs, elle ne passe qu'un instant, et s'apprête à partir, m'entendant confirmer au téléphone un rendez-vous immédiat.

Je la retiens, lui dis que nous avons deux minutes, et m'étonne qu'elle ait su mon adresse. Elle répond qu'elle a rencontré par hasard un ancien ami de Bruno qui la lui a donnée. Elle a trouvé naturel, étant dans le quartier pour des courses, de venir me dire bonjour, et regrette d'avoir mal choisi son moment. Elle dit cela avec un tel air de simplicité et de gentillesse que j'ai un peu honte de la rudesse de mon accueil. Je lui demande ce qu'elle fait : elle est barmaid dans une boîte de Saint-Germain-des-Prés, en attendant mieux. Son seul moment de libre est l'après-midi. Aimablement, j'ajoute en la reconduisant, tandis que Fabienne annonce mon visiteur : « Eh bien, moi aussi j'ai parfois des moments libres dans l'après-midi. Téléphone-moi, nous prendrons un verre. » Je doute qu'elle me prenne au mot.

Mais, la semaine suivante, elle téléphone en mon absence, me demandant de rappeler à tel numéro. Je n'en fais rien, mais, quand elle m'appelle de nouveau, je réponds. Elle voudrait me voir à l'instant même, c'est très important. Je lui dis que c'est impossible et lui propose le lendemain, à deux heures.

Elle arrive en avance, tandis que j'achève d'écrire une lettre. Elle entre tout de suite dans le vif du sujet. Elle cherche du travail : ne pourrais-je pas lui trouver une place de secrétaire?

– Ici, non, dis-je, nos employées restent et, de toute façon, nous avons besoin de gens compétents.

– Mais je le suis! s'écrie Chloé, en se précipitant vers la machine à écrire, j'ai été dactylo un an aux Etats-Unis!

– Et tu connais la comptabilité ?

– Non, mais je peux apprendre.

Elle éclate de rire : ma peur l'amuse, elle voit bien que je ne veux pas d'elle, elle n'est pas pressée :

– Rassure-toi, je saurai me débrouiller toute seule, je n'ai pas l'intention de mettre le grappin sur toi.

Elle se dispose à partir, en m'assurant que, quoi qu'il arrive, elle gardera toujours de moi le meilleur souvenir. Elle a eu, de tout temps, une grande amitié pour moi. Si j'ai oublié, tant pis : elle n'oublie pas. Je réponds que je ne la lui rendais guère, ne cessant de la démolir auprès de Bruno :

– Tu avais raison, je n'étais pas la femme qu'il fallait. Et puis, n'essaie pas de te donner des airs de salaud, ça ne te va pas.

Sa flatterie, habilement enrobée d'ironie, me désarme si bien qu'au lieu de couper court à l'entretien, comme j'étais sur le point de le faire, je lui propose de le faire, je lui propose de le prolonger au café.

Nous nous installons dans un petit bistrot et elle me donne de plus amples détails sur sa situation actuelle. Elle vit avec un garçon, Serge, qui est l'associé du patron de « Agamemnon », la boîte où elle travaille. C'est un copain. Elle ne l'aime pas, elle le supporte, elle s'apprête à le quitter un jour ou l'autre, et la boîte du même coup. Elle me questionne et, sans trop de réticences, je lui parle de ma vie, de ma femme, qui attend, actuellement, un deuxième enfant. Je la rassure : ce n'est pas Miléna. Je mène une existence très bourgeoise, ne sortant presque jamais le soir, loin du temps où je traînais toutes les nuits. Elle m'approuve, elle m'envie. Sa vie actuelle lui pèse. Le travail est éreintant, la boîte minable. Elle se fait, bien sûr, nettement plus d'argent que si elle était vendeuse ou standardiste, mais elle sait qu'un jour elle claquera les portes.

Une fois n'est pas coutume : j'accompagne, dans un grand magasin, Hélène, dont la grossesse est manifeste. Ariane est venue avec sa mère. L'achat la concerne, il s'agit d'un nouveau lit, le sien étant devenu trop petit. Comme nous allons sortir, nous tombons sur Chloé. Celle-ci, prévenant mon embarras, se présente comme une très vieille amie de moi-même et de Bruno, qu'Hélène connaît. Elle nous félicite l'un et l'autre de notre mariage, fait des risettes à la petite, et nous laisse.

– C'est l'ex-fiancée de ton ami Bruno ? Elle n'a pas l'air si dangereux, dit Hélène pour tout commentaire.

A six heures, au bureau, Chloé me téléphone qu'elle va passer. Je la vois arriver, quelques instants plus tard, un paquet sur le bras. C'est une brassière pour l'enfant à naître, et un tablier pour Ariane. Je lui dis ma confusion. Elle répond qu'elle s'en moque, qu'elle adore les enfants et ne peut s'empêcher de leur faire des cadeaux :

– Et je tiens aussi à te féliciter pour ta femme. Tu ne pouvais pas tomber mieux. Surtout ne t'amuse pas à la tromper !

Je dis que je n'en ai pas la moindre intention. Elle me taquine, prétendant que, pour un mari aussi amoureux, je regarde beaucoup les femmes, les passantes, les serveuses, et même mes secrétaires. Elle a su me toucher au vif :

– Oui, c'est vrai, du temps de Miléna, j'avais un bandeau sur les yeux, j'étais esclave. Maintenant, sûr d'Hélène, comme elle l'est de moi, je peux regarder le monde qui m'entoure. Je ne me crois pas obligé de rendre compte à ma femme des moindres de mes pensées, paroles ou occupations. Et elle ne se croit pas, non plus, obligée de le faire.

Mais Chloé, refusant d'entrer dans ma dialectique, ne veut voir là que l'effet destructeur de l'habitude.

– Je crois que tu te réserves une belle porte de sortie. Peut-être pas pour tout de suite, mais pour le jour où même la plus jolie femme devient ennuyeuse.

Je prends la mouche, et tandis que je range mes affaires, éteins les compteurs, ferme les portes, j'essaie d'élever le débat. J'explique que la liberté est pour moi un bien précieux et que je lui ai sacrifié une carrière plus dorée. Je n'ai pas encore définitivement assuré ma situation. Hélène non plus. Elle prépare une thèse, et va profiter de son congé de maternité pour la faire avancer. Chloé, dans l'escalier, éclate d'un rire sonore :

– Ton gosse, il naîtra avec des lunettes !

De retour à la maison, je montre les cadeaux à Hélène, qui, à ma surprise, les apprécie. Elle propose même gentiment d'inviter Chloé à dîner. Je réponds que c'est impossible, puisqu'elle travaille le soir, et que, de toute façon, nous n'avons pas à lui faire de politesses. A la fois pour rassurer ma femme, même si elle l'est déjà, sur la nature de mes rapports anciens avec Chloé, et pour me donner des arguments contre celle-ci, je n'affecte de parler de l'ancienne maîtresse de Bruno, qu'avec un ton de condescendance et de pitié.

Durant quelques jours, Chloé cessa de se manifester. Je pensais qu'ayant satisfait sa curiosité à mon endroit, elle avait découvert d'autres sujets d'intérêt. J'en ressentais à la fois un soulagement et un très léger dépit.

Mais ne voilà-t-il pas qu'un matin, en arrivant à mon bureau, je la trouve assise dans un fauteuil, une valise à ses pieds. Elle a toute l'apparence de quelqu'un qui n'a pas dormi. Elle m'explique qu'elle a quitté Serge pendant son sommeil.

– Je n'arrivais pas à m'endormir. Je me suis demandé

ce que je faisais dans le lit de ce type. Il me semblait complètement étranger. Alors je suis partie. Tu me crois folle ?

– Si tu devais le faire, autant le faire tout de suite.

Elle ne sait où loger : ne pourrais-je pas l'héberger, même provisoirement ? Je réponds que nous n'avons pas de place.

– Mais où couchera le bébé ?

– Avec sa sœur, ou, si nous prenons une gouvernante, dans une pièce qui sert pour l'instant de débarras et qu'il faudra aménager.

– Je peux la repeindre, moi seule, ou en me faisant aider par des copains. Et, quand l'enfant naîtra, c'est moi qui serai sa gouvernante : j'adore les bébés, je ne me ferai pas payer, je travaillerai au pair. Tu vois quelle économie !

Elle rit de mon air effrayé, et dit qu'en fait elle sait où aller. On lui a parlé d'une chambre à Montmartre.

– Et pour le travail, je peux attendre, dit-elle en tirant de son sac une liasse de billets qu'elle n'a pas encore eu le temps de mettre à la banque.

Elle me demande si je peux trouver un moment dans la journée pour aller avec elle voir cette chambre, car il s'agit d'une sous-location, et elle préfère que la chose se passe devant témoin. Je dis que je veux bien tout de suite. Mais, avant de sortir, je dois expédier les affaires courantes, donner mes instructions aux secrétaires, conférer un instant avec Gérard, à qui je présente Chloé.

Dans l'escalier, dans la rue, jusqu'à la station de taxis, Chloé déblatère contre les bureaucrates, race artificielle et inutile :

– Quand j'entre dans un bureau, j'ai l'impression d'un truc pas vrai. Des gens qui s'agitent : pourquoi ? Pour rien. Si les bureaux n'existaient pas tout irait aussi bien : ils ne créent que des mots et de la paperasse.

– Et toi, quand tu sers à boire, dis-je un peu vexé, est-ce que tu crées ?

– Je donne du plaisir.

Nous allons à l'adresse indiquée. La chambre est petite et très sombre. La logeuse, nous prenant d'abord pour un couple, s'étonne qu'elle fasse notre affaire, le lit n'étant qu'à une place. Chloé rit fort de la méprise.

Sentant que Chloé a besoin de réconfort, je l'invite à déjeuner dans un restaurant des boulevards. Sa mélancolie n'est pas encore dissipée. Elle poursuit ses confidences : elle a eu, ces derniers temps, des idées de suicide :

– Je voudrais bien mourir, mais je n'ai pas le courage physique de me tuer. S'il suffisait de lever le doigt pour retourner au néant, tout le monde le ferait. Pourquoi vivre ? Si l'on n'est pas entièrement satisfait de sa vie, il serait plus logique de ne pas vivre, et on vit quand même, par lâcheté… Et, chez Serge, j'avais le moyen de mourir sans souffrir : simplement ouvrir le robinet du gaz, installé dans la pièce. La tentation était forte, et c'est une des raisons, entre autres, pour lesquelles je suis partie… Je n'attends absolument rien de la vie. L'amour, je n'y crois plus, si j'y ai jamais cru. L'unique sentiment qui m'attachait à Serge était la pitié. C'est un paumé. Je suis paumée, ça crée un lien.

Elle désigne deux dames qui papotent à la table voisine :

– De voir les autres vivre, ça ne me donne pas envie de vivre, moi. Ça me dégoûte de vivre pour être un jour comme cette bonne femme.

– Mais tu ne seras pas comme elle !

– Je serai clocharde.

– Moi, dis-je, ça me réconforte, au contraire, de voir les gens vivre. Il y a des vies plus ou moins heureuses, mais je ne trouve aucune vie moche. Si toutes les vies étaient pareilles, oui, dans ce cas, je me suiciderais. C'est la variété de la vie qui me réconforte.

– Tous les gens sont moches et vivent mochement. Les seuls que j'aime regarder vivre, ce sont les enfants. Tant pis si plus tard ils deviennent moches. Ils auront eu leur enfance. La seule chose qui me raccroche à la vie, c'est l'espoir d'avoir un enfant. Mais je voudrais le garder pour moi seule. Son père n'aura même pas le droit de le voir.

Elle est d'ailleurs décidée à ne plus jamais habiter avec un homme. Si elle a un amant, ils auront leurs logements séparés. Elle ne veut donner à personne le droit de s'installer en permanence dans son lit :

– Je suis folle, conclut-elle, je t'ennuie avec mes histoires ! Mais, si je ne t'embête pas trop, c'est magnifique d'avoir quelqu'un comme toi à qui me confier de temps en temps. Même si tu n'es pas d'accord avec moi, ça fait du bien de parler.

Sa confiance me remue. Je presse ses mains dans les miennes, et effleure sa tempe d'un baiser. Elle vient se blottir au creux de mon épaule :

– Toi aussi, dis-je, tu me fais du bien. Tes soucis très réels me délivrent de mes angoisses imaginaires, je t'expliquerai un jour.

Elle me demande, avant de me quitter, si je peux l'aider, un jour prochain, à aller prendre ses affaires qui sont restées chez Serge. Je renâcle un peu, mais finis par accepter.

Pour éviter le désagrément d'une explication qui menace d'être vive, Chloé attend que son ex-ami soit parti en voyage : ce dont elle me prie de m'assurer, en téléphonant au bar, le surlendemain.

– C'est chez moi, j'ai la clef, dit-elle pour vaincre mes dernières répugnances.

Malgré mon peu d'enthousiasme à m'introduire chez les gens en leur absence, l'insolite de l'aventure n'est pas sans me séduire : je me sens dans la peau d'un héros de roman policier. La chose se corse au moment où nous nous heurtons à une porte cadenassée de neuf. Chloé entre en fureur, crie, jure, lance des coups de pied, au risque d'ameuter tout l'immeuble. La peur du scandale me fait opter pour la solution extrême : le piton ne tient pas et c'est un jeu d'enfant de le desceller. Nous entrons, Chloé emplit sa valise, ne faisant grâce de rien qui lui appartienne, y compris les quelques photos d'elle qui sont au mur et que je l'aide à détacher.

Dans le taxi, elle me saute au cou, riant de la tête que fera Serge à son retour :

– Je t'adore, dit-elle, en se serrant contre moi. Tu m'as vraiment sauvé la vie.

Mais, quand je fus seul, mon euphorie tomba net. Je retrouvai mon ancienne crainte de voir Chloé abuser, même innocemment, des droits que lui donnait ma complaisance. Je pris la résolution d'espacer systématiquement nos rendez-vous, car, étant libre, n'allait-elle pas se précipiter tous les après-midi à mon bureau ? Or, il arriva tout le contraire. Elle disparut pendant une semaine et mon appréhension de la voir surgir à tout bout de champ, fit place à la peu agréable sensation d'être mis au rebut après usage. A la fin, je n'arrivais même plus à maîtriser ma nervosité et cacher ma déception de ne pas trouver, à chacun de mes retours au bureau, un message d'elle.

Elle arriva enfin un jour, vers quatre heures, sans me prévenir. Je dissimulai tant bien que mal ma satisfaction sous un ton agressif. Elle s'excusa de ne pas m'avoir fait signe, mais elle était sur la piste d'un emploi, cela lui prenait du temps et elle craignait de m'importuner par la litanie de ses malheurs. Maintenant, elle pouvait réapparaître la tête haute : elle avait enfin déniché une place de serveuse dans un restaurant. Son travail était commencé depuis la veille. Il lui plaisait plus que celui de l'Agamemnon. Le seul ennui est qu'elle n'était plus libre tout l'après-midi, mais seulement de quatre à sept. Comme je n'ai pas l'air de trouver sa nouvelle occupation très relevée, elle m'explique qu'il s'agit d'un « bistrot » à la mode, où elle se fera des pourboires royaux et des relations plus intéressantes que dans son ancienne boîte :

— Je verrai des gens agréables et qui pourront me servir : des gens bien, des gens en place, pas des petits truands fauchés…

La difficulté que nous eûmes à nous voir, désormais, rendit plus précieuses nos rencontres. Chloé n'était jamais sûre de l'heure où elle serait libre, sa clientèle étant du genre à déjeuner tard. Et, de mon côté, je ne pouvais ni ne voulais changer mon habitude de traiter mes affaires en fin d'après-midi.

Mes entretiens avec elle ne m'apparurent donc plus, ainsi que je l'avais redouté, comme une surcharge à mes journées, mais au contraire prirent figure de vivifiante récréation. En la présence de Chloé, je me sentais étrangement à l'aise. Je lui confessais sans honte le tout de mes pensées, même les plus souterraines et que j'avais toujours crues à peu près informulables. Et ainsi, au lieu de ressasser en solitaire mes fantasmes, tout doucement, j'apprenais à m'en libérer.

Jamais, jusqu'ici, je n'ai réussi à être aussi franc et naturel avec quelqu'un, surtout avec les femmes que j'ai aimées et auprès de qui l'estime en laquelle je veux qu'elles me tiennent me condamne à me fabriquer un personnage. Le sérieux d'Hélène, sa force intellectuelle m'ont insensiblement conduit à ne m'adresser à elle que sur le mode plaisant, et presque gamin. Elle aime ce côté chez moi et une sorte de pudeur nous est née qui nous interdit à l'un et à l'autre de nous déballer nos états d'âme. Sans doute est-ce mieux ainsi. Le rôle que je joue, si rôle il y a, est en tout cas plus gai et moins compassé que celui que je tenais auprès de Miléna. Je crois qu'un peu de mystère est indispensable entre deux êtres qui vivent côte à côte.

Par respect pour Hélène, je tais devant Chloé tout ce qui pourrait ternir ma femme à ses yeux et ne la présente que nimbée de toutes les grâces et vertus possibles. Cet encensement perpétuel finit par irriter ma confidente :

– Tu m'amuses. Tu m'amuses énormément. Tu tiens absolument à te prouver que tu aimes ta femme. Si tu ne l'aimes pas, si tu ne l'aimes pas comme aux premiers jours, ce n'est pas une catastrophe, c'est normal. Au fond, ce qui est normal, c'est de ne pas s'enchaîner toujours à la même personne. Le mariage est une chose qui n'a plus aucun sens, aujourd'hui.

– Je n'aime pas ma femme parce que c'est ma femme, mais parce que c'est elle. Je l'aimerais même si nous n'étions pas mariés.

– Non, tu l'aimes, si tu l'aimes, parce que tu crois que tu *dois* l'aimer. Moi, je ne supporterais pas qu'un type m'aime comme tu l'aimes. Mais enfin je suis une exception, je n'accepte pas les compromis. Toi, puisque tu es un bourgeois, fais comme les bons bourgeois : ils gardent leur femme, mais ils la trompent. C'est une soupape de sûreté : ça te ferait du bien, pratiqué avec modération. Excellent, tu ne crois pas ?

Nos rendez-vous qui, par la force des choses, s'étaient un temps, rapprochés, s'espacèrent de nouveau, du fait de contretemps venus de mon côté comme du sien. Nous passâmes toute une semaine sans nous voir, et la semaine suivante s'annonçait pour moi non moins chargée. Par-dessus le marché, j'avais une démarche officielle à faire, le mercredi, jour de fermeture du restaurant.

— Si tu n'es pas libre l'après-midi, passons la soirée ensemble, dit-elle. Tu diras à ta femme que tu es retenu pour affaires, comme ça t'arrive parfois.

Je réponds que ce mensonge à ma femme me ferait honte, et ne serait pas sans rejaillir, d'autre part, sur la pureté de notre amitié. Chloé ricane et, craignant de m'enfoncer encore plus dans mon refus, change de ton, se fait douce et plaintive :

— En fait, je voulais te demander un service. Un garçon, que je connais, doit me présenter à un type important, directeur d'une maison de prêt-à-porter, et qui pourrait me trouver une place dans sa boîte. Seulement voilà : je soupçonne mon copain d'être un tant soit peu intéressé. Alors, si je viens avec toi, il saura que je ne suis pas décidée à me laisser faire. Et puis j'aimerais connaître ton opinion sur lui. Je doute d'ailleurs qu'il te plaise.

— Qui est-ce ?

— Je l'ai connu au restaurant.

— Tu ne m'en avais pas parlé.

— Oh ! C'est si peu intéressant ! Des nouvelles connaissances, j'en fais tous les jours. Celui-là, c'est un type assez beau qui se flatte d'avoir toutes les filles qu'il veut, et il a parié qu'il m'aurait.

— Et... il gagnera ?

— Sûrement pas, il en sera pour ses frais. Tu es jaloux ?

— Moi ? A quel titre ? Mais tu ne me donnes pas l'air d'être sûre de toi : tu te mets à parler comme une petite fille.

— Ben, je suis une femme ! Quand un type m'attaque où il faut, même s'il n'a pas ses chances, ça me remue. Raison de plus pour que tu viennes. Je suis infiniment curieuse de la réaction de Gian Carlo, quand il me verra avec toi...

Le soir. Je suis en train de lire, tandis qu'Hélène travaille. Méticuleusement, elle consulte ses fiches, note, réfléchit, tout à sa recherche, jetant parfois dans la pièce un regard vague, qui jamais ne se pose sur moi.

– Bon, ça suffit, dit-elle enfin. Il faut être raisonnable. Dans mon état, je crois plus sain d'arrêter mon travail en fin d'après-midi. Le soir, je me coucherai tôt, et lirai au lit, si ça ne t'embête pas trop.

– A propos, dis-je, je suis invité mercredi à une conférence-dîner. Tu veux venir?

– Tu es fou? Mais vas-y, si c'est important pour toi. J'en profiterai pour me coucher encore plus tôt. J'ai besoin de sommeil.

Le mercredi suivant, à six heures, je quitte le tribunal en compagnie de Gérard. Un taxi nous ramène au bureau. Les secrétaires sont parties. Il y a un message pour moi : « Chloé a téléphoné. Elle s'excuse de ne pouvoir venir. » J'ai peine à dissimuler mon trouble devant Gérard. Je vais à mon téléphone, m'enferme, et fais le numéro de la logeuse de Chloé :

– Elle n'est pas là, me répond-on. Ça fait au moins trois jours qu'elle n'a pas couché ici.

Je rentre, comme Hélène est déjà couchée. J'explique que, tout bien réfléchi, ma présence à la « conférence » n'est pas indispensable.

– Pourquoi ne m'avoir pas téléphoné? dit-elle, je n'ai rien préparé à dîner pour toi.

– Je ne voulais pas te retarder. Dors. Je me ferai la cuisine, ça m'amusera…

Mon repas pris, comme il est trop tôt pour dormir, je passe dans la salle de séjour, afin de lire un peu. Mais je ne parviens pas à concentrer mon attention. Le sommeil me fuit jusqu'à une heure avancée de la nuit, et me surprend tout à coup, sans me laisser le temps de quitter mon fauteuil. Le lendemain matin Hélène me découvre :

– Qu'est-ce qui t'arrive ?

Je bredouille que je n'avais pas le courage de m'arracher à ma lecture, et que je me suis endormi en lisant.

Le lendemain, dans le train, au bureau, je ne parvins qu'à grand peine à retrouver mon calme. Je me sentais prêt à épancher ma colère, au moindre prétexte, sur le premier venu. Ce qui m'irritait le plus était le peu de cas que Chloé semblait faire de mon désintéressement. Elle se comportait exactement envers moi comme envers un amant bafoué et me forçait par là même à penser en jaloux.

Quelques jours plus tard, je recevais une carte postale d'Italie, ainsi libellée : « Sorrente, 10 mars. Je prends mes vacances. A bientôt. Chloé. »

Deuxième partie

Notre enfant naquit le 17 mars. C'était un garçon. Il s'annonçait de caractère plus difficile que sa sœur qui, pour ne pas être en reste, se mit à faire des caprices. Hélène était à bout de nerfs. Je lui suggérai de faire prolonger son congé, qui cessait à la rentrée de Pâques, mais elle tenait à reprendre ses cours. J'insiste alors pour qu'au prix d'un léger sacrifice financier, nous engagions une gouvernante.

Je laisse, bien entendu, Hélène faire son choix. Je m'attends à voir arriver un laideron. C'est une Anglaise fraîche et longiligne. En d'autres moments, j'aurais un peu craint d'en être troublé, mais je me trouvais actuellement défendu par le double rempart de la présence d'Hélène et de l'absence de Chloé, à la « mémoire » de qui toute pensée, frivole ou non, à l'adresse d'une autre fille m'apparaissait comme une insulte. Pendant ces derniers mois, Chloé avait réussi à me démystifier toutes les femmes, au moral comme au physique, et je n'éprouvais pas la moindre curiosité pour l'âme de notre blonde auxiliaire, ni pour son corps qu'elle exhibait sans gêne, accourant toute nue de la salle de bains, au moindre sanglot de l'enfant.

Enfin, quelques jours après Pâques, Chloé réapparut. Je n'arrivai plus, à froid, à formuler mes griefs :

– Je ne comprends pas ce que tu me reproches, dit-elle. Je t'ai téléphoné. Tu aurais voulu que je te dise que j'étais partie avec Gian Carlo ? Mais je pensais que tu l'avais deviné : je t'avais parlé de lui.

Elle est très contente d'elle-même. Elle s'était trop souvent, dans sa vie, laissée rouler par les hommes, ce genre d'hommes. Il lui fallait, un jour ou l'autre, prendre une revanche. Celle-ci a été éclatante. Elle a su rendre l'Italien fou amoureux, et puis elle s'est enfuie avec un étudiant anglais, divinement beau, mais vraiment trop gosse et qu'elle a laissé choir au bout de quelques jours.

– Et voilà, les vacances sont terminées. Mais j'ai plaqué mon travail et mon infecte piaule. Provisoirement, je loge chez les gens qui m'ont ramenée en voiture. J'ai encore un peu d'argent à la banque. Je peux attendre.

Légèrement hâlée, les traits détendus, ayant remplacé par un ensemble élégant le vieux jean qu'elle portait d'habitude, elle brillait ce jour-là d'un éclat propre à ternir par comparaison une Hélène crispée et relevant de couches. En sa compagnie, je me sens encore plus naturel, s'il est possible, qu'avant son voyage.

A la maison, en revanche, je me trouve artificiel. La naissance de l'enfant, la venue de la gouvernante, l'air préoccupé de ma femme me confirment dans mon rôle de père, que je me regarde jouer, en spectateur. Pour apaiser les enfants, et, peut-être aussi, dérider Hélène, j'improvise toutes sortes de bouffonneries : m'amuser par exemple à ramener grotesquement mon pull sur ma tête, à la façon d'une capuche, en faisant les yeux tout ronds.

Spectateur, mais narrateur aussi pour Chloé qui me harcèle de questions sur mon fils et mes impressions de père. J'ai gardé de cette période le souvenir le plus heureux. Le plaisir que j'ai à vivre ma vie se double de celui de la raconter. J'ai parfaitement conscience de cette duplicité, et j'avoue qu'elle ne me cause aucune gêne. Pourtant, parfois, le spectacle, dans la glace d'un café, du couple que je forme avec Chloé m'étonne et choque mon regard, comme il choquerait celui d'Hélène nous croisant à l'improviste. Et je me demande quelle tête pourrait faire ma femme, si elle me surprenait accompagnant Chloé dans une boutique, et la conseillant sur le choix d'une jupe ou d'un pantalon, alors qu'elle même ne me consulte jamais sur sa toilette.

Puis l'humeur de Chloé s'assombrit. Ses ressources tirent à leur fin. Elle ne trouve pas de travail. Un jour que nous marchons dans la rue, elle est excédée par le bruit, la foule, elle prétend qu'elle perd son temps et me fait perdre le mien. Je l'invite à prendre un verre. Elle refuse. Elle veut rentrer chez elle, hèle un taxi, court sur la chaussée. Je la rejoins et la retiens de force, au milieu des voitures qui nous frôlent. Finalement, elle éclate en larmes et me suis sans résistance jusqu'à un jardin public.

Là, sur un banc, Chloé se blottit contre moi. Ses yeux sont encore humides :

238

– Tu vois, dit-elle, après un silence, tu es la seule et unique raison pour laquelle je supporte la vie. Sans toi, je me serais tuée mille fois.

– Ne dis pas ça !

– Mais c'est vrai ! Pourquoi tous les gens ne sont-ils pas comme toi ? Ce sont tous des salauds.

– Je suis gentil avec toi parce que nos relations sont purement désintéressées. Mais, en affaires, je suis très dur.

Elle lève la tête vers moi, éclate de rire, m'attrape à deux mains les cheveux et couvre mon visage de baisers. Puis elle s'écarte un peu, noue ses bras autour de mon cou et me tend ses lèvres. J'y appuie les miennes un peu longuement, puis me dégage. Je caresse ses cheveux :

– Ecoute, Chloé…

Mais à peine ai-je ouvert la bouche qu'elle se lève et me tend la main :

– Marchons, et, si tu veux bien, ne parlons pas.

Au bureau, tandis que Fabienne téléphone, une phrase me fait dresser la tête. Il est question d'une boutique de mode qui cherche une vendeuse :

– Excusez-moi, lui dis-je, de vous avoir écoutée, mais ne pensez-vous pas que Chloé ferait l'affaire ?

Le lendemain même, elle était engagée. Le magasin se trouve dans le quartier de la Madeleine, à cinq minutes de mon bureau. En plus de la patronne, souvent absente, deux filles assurent la vente. Chloé arrive à midi et reste jusqu'à huit heures. Sa collègue, venue plus tôt, part vers six heures. Ni l'une ni l'autre ne déjeunent, se contentant d'aller grignoter une tarte ou un moka à la pâtisserie voisine.

Mais la difficulté de nos rencontres est considérablement accrue. Il ne nous reste que le lundi, jour de fermeture. Comme Chloé, tout de même, me presse de venir la voir, je passe lui rendre visite un jour, vers deux heures. L'autre vendeuse profite de l'accalmie du début de l'après-midi pour aller à la pâtisserie, et nous laisse seuls. Chloé est aux anges : elle a la patronne dans sa poche, le travail lui plaît et, par dessus le marché, elle a trouvé une chambre dans l'immeuble même. Elle va s'y installer sous peu.

L'arrivée d'une cliente stoppe notre conversation. De peur de gêner, je m'apprête à sortir, quand Chloé, à une question de la dame, s'aperçoit que sa collègue, mieux au courant, connaît la réponse. Elle se précipite à sa recherche, en me faisant signe de rester. Je me mets derrière un petit bureau où sont empilées des revues que je feuillette, tandis que la cliente inspecte les penderies. Me prenant pour le gérant, elle me demande si elle peut essayer une robe. Je lui désigne la cabine d'un geste cérémonieux, et sourit d'avance de la tête que va faire Chloé, en me surprenant au milieu de mes nouvelles fonctions.

C'est dimanche, je photographie Hélène tenant sa fille sur ses genoux :

– Très bien, vous étiez parfaites toutes les deux, toi surtout. Tiens, je vais te reprendre seule.

– Mais tu m'as déjà prise cent fois !

– Oui, mais je veux faire mieux. Je ne sais pas si je fais des progrès où si tu embellis, mais quand je vois des photos du temps de notre mariage, je me demande comment j'ai pu songer à t'épouser.

– Moi aussi !

Je souris, elle sourit. J'appuie sur le déclic.

Le lundi, le magasin est fermé. Mais Chloé est venue y faire des rangements et m'a demandé de lui tenir compagnie. Je la vois déployer un zèle dont elle s'empresse de me donner la raison :

– La patronne va partir pour Saint-Jean-de-Luz où elle a une autre boutique. Il faut donc que je me mette en valeur, pour qu'elle me confie le plus de responsabilités possible pendant son absence. Tu verras, je serai bientôt gérante.

Elle déballe un lot de nouvelles robes :

– Celle-ci est ravissante, tiens, je vais l'essayer.

Elle ôte sa robe, sous laquelle elle porte un « body-stocking » noir, et enfile l'autre :

– Pas mal, n'est-ce pas ? Comment la trouves-tu ?

– Tu sais, dis-je, je ne me suis jamais emballé pour une robe. Je ne crois pas qu'une robe soit belle ou laide en elle-même. Je dois dire que celle-ci met remarquablement ta ligne en valeur : ce n'est pas la robe qu'on admire, c'est toi.

Sans mot dire, elle ôte la robe et la jette derrière elle. Elle avance d'un pas et s'arrête en posture de danseuse, jambe fléchie, buste cambré, coudes légèrement écartés. Puis elle tend ses bras en avant, à la hauteur des épaules. Je m'avance et me glisse entre eux jusqu'à ce que je sois tout contre elle. Je pose mes mains sur ses hanches et m'applique à en suivre les contours, comme pour bien vérifier leur perfection.

– Oui, dis-je, tu as une très belle ligne.

Elle lève la tête vers moi amoureusement. Je me penche et j'approche mes lèvres des siennes, sans me décider à l'embrasser. Les secondes passent, je sens que le charme est rompu : ses traits se durcissent, son sourire se fige. J'essaie de parler :

– Ecoute, Chloé !

– Non ! Je n'écoute pas, dit-elle en se dégageant et allant remettre son ancienne robe. Je sais très bien ce que tu vas dire, tu vas me parler de ta femme.

– Eh bien non, dis-je, précisément. Ce n'est pas à ma femme que je pense, c'est à toi et à notre amitié que nous sommes en train de gâcher.

Elle ricane :

– Je ne crois pas à l'amitié. Il n'y a pas d'amitié, ni de ta part, ni de la mienne…

Puis, après un silence :

– Tu sais, depuis quelque temps, je suis en train de m'apercevoir d'une chose, c'est que je t'aime. Je t'aime d'amour, je suis amoureuse de toi.

Je hausse les épaules :

– J'espère bien que non. Si tu étais amoureuse, je te fuirais : tu voudrais m'avoir à toi seule, me faire quitter ma femme !

– Pas forcément. Je suis heureuse comme ça. Il me suffit de savoir que je t'aime et te le dire. J'ai beaucoup d'imagination, tu sais. Je peux même m'imaginer que je fais l'amour avec toi, quand je le fais avec d'autres.

– Tu es folle !

– Non, ce qui est fou, c'est de prétendre aimer quelqu'un avec qui on vit. Je ne peux pas aimer un type qui s'est installé dans un lit et s'imagine avoir le droit d'y rester. Même et surtout s'il était le père de mon enfant… Tu sais que j'ai très envie d'avoir un enfant ?

– Oui, tu me l'as dit.

– Eh bien, sache que j'ai trouvé le père.

– Ah ?

– Oui, toi.

Elle s'avance vers moi, en me fixant dans les yeux :

– Ne ris pas, c'est très sérieux. J'ai la ferme intention d'avoir un enfant de toi, et j'arrive toujours à mes fins, tu sais. C'est bien réfléchi. Je ne trouve personne d'autre qui me plaise comme père. Tandis que toi, tu réunis toutes les conditions. Tu es déjà marié, tu es beau, tu es grand, tu n'es pas trop bête et tu as les yeux bleus : je veux un gosse aux yeux bleus. Comme raisonnement, c'est impeccable. Qu'as-tu à répondre ?

– Et que dira ma femme ?

– Elle n'a pas besoin de savoir. Toi non plus, tu ne sauras pas très bien si tu es le père.

– Alors, quel est mon intérêt ?

– Aucun. Je ne regarde que le mien. Tu crois que je plaisante ? Mais non. Je suis parfaitement logique avec moi-même. C'est toi qui n'es pas logique !

A la maison, nous avons invité quelques amis, dont les M... Avant de passer à table, nous allons admirer le bébé, à qui la gouvernante vient de donner sa bouillie du soir. On fait quelques risettes. On cherche à découvrir des ressemblances, soit avec le père, soit avec la mère. Dans sa nouvelle robe, Hélène est très en beauté : il semble, comme le fait remarquer l'une de ses invitées, que son bébé l'ait rajeunie. Elle est très gaie, ce soir, et fait assaut d'esprit avec M... L'exubérance générale me rend taciturne. Ma femme finit par remarquer mon air lointain et mes yeux vides, et son visage se rembrunit un instant.

Le lundi suivant, Chloé a déjà pris possession de sa nouvelle chambre, sous les combles. Elle est faite de la réunion de trois anciennes chambres de bonne. L'une des cloisons a été abattue, l'autre percée d'une porte, de façon à constituer deux pièces : la chambre proprement dite, et une salle de bains cuisine. L'ensemble est relativement spacieux. Avec quelques planches, des cubes, des tabourets trouvés dans la remise du magasin, Chloé s'est constitué un mobilier original.

Tout en préparant le café, elle dit sa satisfaction d'avoir enfin un logis bien à elle :

– Personne ne viendra ici. Si jamais je couche avec un type, j'irai chez lui ou à l'hôtel. Même la journée, je ne recevrai aucune fille, aucun garçon, sauf toi. Je n'ai plus envie de traîner dans les rues et dans les cafés. A partir de maintenant, tu viendras me voir ici, c'est mille fois plus sympathique.

Elle apporte les tasses. Je me suis assis sur le bord du lit. Elle se met par terre et se cale contre mes genoux.

– N'est-ce pas que nous sommes bien ?

Quand j'ai fini mon café, elle prend la tasse, la pose sur la moquette, et, se redressant à demi, s'agenouille entre mes jambes, face à moi, les bras noués autour de ma taille. Elle blottit sa tête contre ma poitrine. Je l'enlace à mon tour, relève dans son dos le pan de sa chemise, qui sort du pantalon, et promène lentement ma main sur sa peau nue. L'heure est calme et un peu angoissante. Par le vasistas entrouvert, me parvient le murmure de la cour : roucoulement des pigeons, bruits clairs de vaisselle qu'on range, voix rauques de bonnes espagnoles, fredonnant leurs rengaines.

– Tu sais, Chloé, dis-je sans relâcher mon étreinte, que je suis actuellement (j'appuie sur ce dernier mot) très amoureux de ma femme.

– Oui, je sais. Si tu es amoureux de ta femme, eh bien, ne viens pas ici, dit-elle en se dégageant et bondissant sur ses pieds.

– Laisse-moi finir, dis-je, en élevant la voix. Je veux dire qu'« actuellement », alors que j'aime ma femme et la désire physiquement plus que jamais, je suis attiré par toi, au point de ne plus savoir si je pourrais résister. Ma volonté même est ébranlée. Parfois je me demande si nous ne ferions pas mieux de coucher ensemble. Ce serait plus sain. Tu crois qu'on peut aimer deux femmes en même temps ? Est-ce que c'est normal ?

— Ça dépend ce que tu appelles « aimer ». Aimer de passion, non, mais la passion ça ne dure pas. Si tu veux coucher avec deux ou plusieurs filles et avoir même de la tendresse pour chacune, rien de plus banal, tout le monde le fait plus ou moins ouvertement. Ce qui est naturel, c'est la polygamie.

— C'est la barbarie, l'esclavage de la femme !

— Pas forcément, si la femme la pratique aussi. Si tu étais normal, tu coucherais avec toutes les filles dont tu as envie, et tu laisserais ta femme en faire autant avec les hommes. Je sais que j'ai raison et que j'arriverai à te convaincre. Tu tromperas ta femme, j'en suis sûre, un jour ou l'autre, mais je ne veux pas dire forcément avec moi : ce sera une autre qui profitera de mon travail de sape.

— Dans une société polygame, dis-je, je serais polygame, et sans doute m'en porterais-je bien. Dans une société comme la nôtre, je ne veux pas fonder ma vie sur le mensonge. Je cache déjà trop de choses à ma femme.

Chloé, alors, de pouffer :

— Et qui te prouve qu'elle ne te cache rien ? Tu sais que je l'ai vue l'autre jour avec un type ?

— Où ça ?

— A la gare Saint-Lazare. C'était il y a plus d'un mois, je ne travaillais pas encore.

— Et alors ?

— Tu trembles ? Alors, rien. Ils marchaient l'un à côté de l'autre, ils parlaient. Elle ne m'a pas vue, mais je l'ai bien reconnue.

— Qu'y a-t-il d'extraordinaire ? Elle vient souvent à Paris, elle connaît du monde. Ce devait être un de ses collègues. Comment était-il ?

— Je n'ai pas fait attention : moche, plutôt. Ce devait être un prof. Ils se tenaient tout ce qu'il y a de plus correctement, mais l'idée m'a traversé la tête que si, quand nous

nous baladons ensemble et que tu as une telle trouille de tomber sur elle, nous la surprenions en train de flirter avec X ou Y, alors, ça serait du plus haut comique !

Je ris et lui confie que je soupçonne un des collègues d'Hélène, M…, précisément, d'être passablement épris d'elle. C'est un homme très spirituel, et elle se plaît en sa compagnie, mais je doute fort qu'il ait pour elle le moindre attrait physique. C'est pourquoi je ne me pose pas de questions à son sujet, et j'ai l'intention de ne m'en poser jamais.

– Voici ce que je te propose pour la prochaine fois, dis-je, en la quittant. On est très bien ici : on est trop bien. Lundi prochain, je m'arrangerai pour libérer tout mon après-midi. Nous irons déjeuner dans un endroit agréable, au Bois, sur le quais, où tu voudras. On aura tout notre temps et on fera une grande mise au point. Tu veux ?

Huit jours plus tard, je gravissais vers 1 h 30 l'escalier de service menant chez Chloé. Je dois frapper à plusieurs reprises, car elle est sous la douche :

– C'est toi, crie-t-elle enfin, Ah ! La porte est fermée ! Tiens, passe par là.

Je l'entends alors tirer le verrou de la porte de la salle de bains donnant sur le couloir. J'entre avec la vision du rideau de douche retombant sur son bras. Et comme, après avoir refermé la porte, je me dirige vers la chambre :

– Attends, dit-elle, passe-moi la serviette de bain.

Elle sort son bras de derrière le rideau et la happe.

– Veux-tu bien, continue-t-elle, approcher le tapis ?

Pendant que je m'exécute, elle écarte le rideau et sort du bac enroulée dans la serviette. Tout en la maintenant d'une main, elle m'enlace de son bras libre, tout mouillé, et m'embrasse sur la joue :

– N'aie pas peur, c'est de l'eau, ça ne tache pas… Tiens, puisque tu es là, essuie-moi.

246

Pour ne pas compromettre l'ordonnance de la serviette, je me livre à quelques tapotements discrets et frictions légères. Mais elle s'impatiente :

– Sois sérieux! Essuie-moi vraiment!

Je défais alors la serviette, la prends à pleines mains et frotte consciencieusement Chloé de la nuque jusqu'aux talons. Elle reprend la serviette, la passe rapidement sur son ventre et ses jambes, tout en se retenant au revers de ma veste, et la jette, dans un mouvement qui la déséquilibre un peu. Elle agrippe mon épaule et se plaque contre moi. Je passe mes bras autour de sa taille, je couvre de baisers sa nuque fraîche.

– Ta veste me gratte, dit-elle, en se décollant de moi et me faisant signe de l'enlever, ce que je fais aussitôt.

Entièrement rassurée quant à la suite des événements, elle me laisse, passe dans la chambre et court vers le lit, tandis que, poursuivant mon déshabillage, je déboutonne la chemise-polo que j'ai mise ce jour-là et m'apprête à l'ôter. Mais, au moment même où je suis en train de faire passer le col par-dessus ma tête, je marque un temps d'arrêt, fais un pas vers la porte de séparation laissée ouverte, et, par l'échancrure de la chemise, remontée maintenant à hauteur de mes yeux, jette un coup d'œil en direction du lit : Chloé, appuyée sur un coude, et me tournant le dos, est occupée à lisser le drap et redresser le traversin. Elle regarde par-dessus son épaule dans ma direction et rit, car je suis comique. Je fais un pas de côté, sors de son champ de vision, me retourne et me trouve devant la glace du lavabo. Je me regarde. Je lâche les bords du col, et mon visage entier se découvre, comme encadré d'une capuche. Je me fais un sourire qui s'achève en rictus rageur et, d'un coup de tête, laisse retomber le polo sur mes épaules.

Chloé, dans l'autre pièce, a cessé de bouger, et il y a quelques secondes d'un silence oppressant. J'ouvre tout grand le robinet du lavabo. Couvert par le bruit de l'eau, je vais vers la porte du couloir, l'ouvre et sors, après avoir ramassé ma veste au passage.

Je crains que, malgré mes précautions, Chloé n'ait entendu ma fuite et ne m'appelle. Je me précipite dans l'escalier, que je descends à toutes jambes, et débouche haletant dans la rue. Mon affolement est tel que je continue à courir et bouscule une ou deux personnes.

Au bureau, je trouve Fabienne en train de téléphoner. Quand elle m'entend entrer, elle se retourne et ne peut s'empêcher de marquer son étonnement. J'ai l'impression que mon retour imprévu dérange ses plans.

Je passe vite dans mon propre bureau, et reste quelques instants debout près de la fenêtre, à reprendre mon souffle. Puis, je vais fermer la porte que, dans ma hâte, j'ai laissée entrebâillée. Je prends le téléphone et fais le numéro de la maison.

C'est Hélène qui répond :

– Qu'y a-t-il ?

– Rien, je voulais simplement savoir si tu étais là, parce que je crois que je vais rentrer. J'avais un rendez-vous qui a été décommandé. Alors, comme je n'ai rien à faire, je rentre, je te préviens, c'est tout.

– Mais tu peux bien rentrer comme ça ! Pourquoi téléphoner ?

– Parce que… euh… j'avais le téléphone à portée de la main. J'arrive.

Lorsque j'entre, Hélène me dévisage avec une attention un peu inquiète.

– Tu m'as fait peur. Tu avais un ton bizarre. Tu n'es pas souffrant ?

– Mais non! Simplement ma journée est désorganisée. Alors j'ai pensé qu'à ne rien faire, je serais aussi bien ici qu'au bureau. Mais je ne voudrais pas te déranger.

– Je n'ai rien à faire, moi non plus et, de toute façon, tu ne me déranges jamais. Je travaille. Je travaille même mieux en ta présence. Mais aujourd'hui, je me sens paresseuse. J'avais, euh… rien, une course à faire, je ne la fais même pas.

– A Paris?

– Non ici, mais c'est sans importance.

– Fais-la, je ne voudrais pas que tu bouleverses tes plans à cause de moi.

– Non, à moins que ça ne te dérange que je reste?

– Tu es folle! C'est pour toi que je suis rentré.

Je n'avais rien à te dire de particulier, mais j'avais envie de te voir. De te voir l'après-midi. Nous ne nous voyons jamais l'après-midi, sauf le dimanche.

Elle s'est assise sur le canapé. Je m'installe à côté d'elle. Je passe mon bras autour de ses épaules qui sont nues: elle porte une petite robe d'été sans manches. Je poursuis:

– Note que, l'après-midi, je ne l'aime pas tellement. Je me sens très angoissé et j'ai peur d'être seul. Et toi?

– Eh bien, les après-midi où je n'ai pas cours, maintenant que la jeune fille promène les enfants, je ressens une impression de vide un peu étrange. Mais c'est le manque d'habitude: ça fait drôle aussi de te voir là.

Et comme je fais mine de me lever, elle s'agrippe à moi:

– Non, reste. Je suis heureuse, heureuse, tu ne peux pas savoir à quel point! Simplement, ajoute-t-elle, avec un petit rire qui lui reste dans la gorge, je dois avoir l'air un peu bête.

Je la serre très fort contre moi, et nous restons un instant sans rien dire. Je romps le silence:

– Hélène?

– Oui.

– Je voudrais te dire quelque chose.

– Ah !

– Pourquoi « Ah » ?

– Je croyais que tu n'avais rien à me dire de spécial.

– Ça me vient à l'esprit à l'instant même. C'est d'ailleurs complètement idiot, et je crois que je ferais mieux de me taire. Voilà : je suis assis à côté de toi, et tu m'intimides. Tu m'intimides parce que tu es belle. Tu n'as jamais été aussi belle. Mais tu m'intimides aussi, c'est moins compréhensible, parce que je t'aime. C'est complètement idiot, n'est-ce pas ?

– Non, pas du tout, je comprends très bien.

– Je te dis ça parce que je crains toujours que tu ne prennes ma timidité pour de la froideur.

– Mais c'est moi qui suis froide ! Beaucoup plus que toi ! Toi, tu es parfait : je ne voudrais pas d'un homme qui me traite familièrement et qui fouille sans arrêt dans mes pensées, même avec les meilleures intentions du monde.

– Oui, mais j'ai parfois du remords de ne pas te parler beaucoup, de ne pas me confier à toi, alors qu'il m'arrive de discourir des heures avec des gens qui ne me sont rien, des gens avec qui j'ai des relations superficielles… ou du moins, passagères.

Elle ne me répond pas. Elle a baissé la tête.

– Hélène ?

Je me penche vers son visage qu'elle essaie de cacher :

– Tu pleures ?

– Mais non, dit-elle en me faisant face et me fixant de ses yeux humides, je ris, tu vois bien !

Et enfouissant sa tête dans le creux de mon épaule, elle éclate d'un rire nerveux qui se termine en sanglots.

Je caresse ses épaules nues, couvre sa nuque de baisers, tandis qu'elle se calme peu à peu. Je dégrafe le haut de sa robe, glisse ma main sous l'étoffe et caresse son dos. Je chuchote dans son oreille :

– Il n'y a personne ?

– Non, jusqu'à cinq heures, mais allons dans la chambre.

Table

Achevé d'imprimer le 28 février 1998
sur les presses de l'imprimerie Darantière,
Quetigny - France
Dépôt légal :mars 1998.
Numéro d'imprimeur : 98-0188